108

LA TIA TULA

DEL MISMO AUTOR

EN TAURUS EDICIONES

• *Cancionero,* selección e introducción de A. Ramos Gascón (Col. «Temas de España», núm. 43).

SOBRE EL AUTOR:

• *Miguel de Unamuno,* edición de Antonio SÁNCHEZ-BARBUDO (Serie «El escritor y la crítica», núm. 73 de la col. «Persiles»).

MIGUEL DE UNAMUNO

LA TÍA TULA

Edición
de
Antonio Sánchez-Barbudo

taurus

Cubierta
de
Roberto TURÉGANO

Primera edición: 1981
Reimpresiones: 1982, 1986

© 1981, HEREDEROS DE MIGUEL DE UNAMUNO
TAURUS EDICIONES, S. A.
Príncipe de Vergara, 81, 1.º 28006 MADRID
I.S.B.N.: 84-306-4108-4
Depósito Legal: M. 2.884-1986
Rogar, S. A. Fuenlabrada (Madrid)
PRINTED IN SPAIN

INTRODUCCION

Una excepcional novela de Unamuno

La tía Tula es indudablemente una de las principales novelas de Unamuno. La «mejor», diríamos, si es que al hablar de buenas novelas nos referimos a esas en que lo importante, lo que en ellas destaca sobre todo, es la creación de vivos caracteres. Seres ficticios que parecen reales, que comprendemos muchas veces mejor que a las personas a quienes tratamos en la realidad. Seres que despiertan nuestro interés, el cual no proviene tanto de que hagan o digan cosas extraordinarias, sino de que esos actos que «observamos» en nuestra mente o esas palabras que creemos escuchar, todas sus motivaciones y sentimientos, aparecen ante nosotros clarificados, como si hubiesen sido iluminados desde dentro. Seres interesantes; pero a la vez naturales, creíbles, humanos.

Un tal personaje es Gertrudis, la energética solterona maternal, la figura casi única de *La tía Tula*. Ella es quizá el personaje más real, más *de bulto*, más completo y complejo de todos los de Unamuno. El lector la ve con nitidez aunque su aspecto físico no se describa con detalle en ninguna parte. La ve y la siente, y además siente con ella. La vamos comprendiendo cada vez mejor, poco a poco; y así llegamos a quererla, a explicarnos sus errores y a justificarlos. Y después de conocida no la olvidamos ya nunca.

Cosa parecida ocurre a muchos lectores, claro es, con los personajes de muchas grandes novelas. Pero no creo que ocurra a menudo cuando se trata de los principales personajes de *otras* novelas de Unamuno. Ello no quiere decir que otras creaciones unamunescas carezcan de interés. Lo tienen, y a veces mucho; pero es interés en otro sentido, por otras razones. Interesan o pueden interesar ciertos extraordinarios personajes unamunescos por su rareza, y sobre todo por las ideas y sentimientos, muy de Unamuno, que ellos expresan o encarnan; pero no por su naturalidad, no porque parezcan vivos.

Niebla, por ejemplo, de 1914, una de sus más conocidas e importantes novelas, o «nivolas», es obra originalísima, trágica y humorística, fascinante a veces. Se plantean en ella, y muy vivamente, una serie de problemas filosóficos (realidad y sueño, pensamiento y vida, el ser creado frente a su creador, etc.). Mas con todo ello, o precisamente por eso mismo, Augusto Pérez, el personaje central que encarna esas ideas, problemas y conflictos, es sólo una sombra, un medio ser; no un ser real, o que parezca real. La novela además, con todos sus méritos, parece escrita muy «a lo que salga», improvisada, como si el autor estuviese jugando, divirtiéndose mientras la escribía con sus ocurrencias, con sus hallazgos, a la vez que sufriendo al ahondar en el fondo de sí mismo.

La tía Tula, obra mucho más «normal» como novela, aunque también muy unamunesca, no plantea problema filosófico alguno. Es una honda y simple, esquemática tragedia de humor. Nada extraordinario o fantástico ocurre en ella. Y la figura central aparece desde el principio formada: un ser vivo bien definido, nada nebuloso. Ello tal vez porque tuvo una larga gestación. Concebida en 1902, si no antes, no salió a la luz sino en 1921. Y salía —dice el propio Unamuno en carta de ese mismo año, escrita cuando corregía las pruebas— muy acabada, «muy ampliada, corregida, enriquecida e intensificada», con respecto al «boceto» anterior.

Más que con *Niebla* podría compararse *La tía Tula* con *Abel Sánchez* (1917), que es también «una historia de pasión». En esta novela la pasión absorbente de Joaquín (Caín) es la envidia. El libro todo es un minucioso y penetrante análisis, hecho en vivo, de la envidia, esa primordial pasión, con todas sus hondas raíces y tristes frutos. Es en verdad obra apasionante. Y Joaquín, el desorbitado, obsedido, supremo envidioso —la envidia misma personificada— no deja de tener vida, profunda realidad en algún momento. Mas claro es que esa exagerada concentración en un solo sentimiento básico, a expensas de todos los demás, que es precisamente lo que produce el interés y la densidad que tiene la obra, es causa también de que Joaquín, como ser humano, resulte increíble, irreal, una especie de monstruo. Aunque le entendamos y lleguemos a compadecerle. O, más bien, comprendamos a través de él *la envidia* con toda su destructora fuerza, y compadezcamos más, gracias a él, a todos los profundamente envidiosos.

A la tía Tula, en cambio, su pasión, la frustrada maternidad, que es la esencia de su ser, no le resta en modo alguno naturalidad, vida, verdad. Y es que ella, a pesar de lo que suele decirse al tratar de esta novela, no es un mero símbolo, no es una simple encarnación del «hambre» de maternidad.

Más parecidas a la tía Tula, por eso de la «furiosa hambre de maternidad», son ciertas mujeres inventadas también por Unamuno, como Raquel, la viuda estéril de *Dos madres,* la novelita incluida en *Tres novelas ejemplares y un prólogo* (1920); o la otra Raquel, gritona y gesticulante del drama *Raquel, encadenada,* escrito al parecer hacia 1921. Pero en esas obras diríase que Unamuno, lo mismo que en *Abel Sánchez,* empieza por una *idea,* que ahora es la de una mujer obsedida por el deseo de maternidad, y *luego* busca y encuentra las figuras que expresen esa pasión. Con *La tía Tula* ocurre precisamente lo contrario, o al menos el ingenuo lector recibe esa impresión: lo que destaca primero, antes que idea alguna, es un personaje vivo, *de carne y hueso,* que tiene ideas y sentimientos varios, entre los cuales es dominante el de la maternidad.

El personaje central

Veamos ahora cómo es ese personaje central de la novela, qué aspecto tiene la figura que aparece ante el lector apenas abierto el libro. Una figura que se va luego perfilando.

Al aparecer, al principio, Gertrudis da la impresión de ser muy reservada, algo adusta y enigmática. El autor nos dice ya en la primera página que era ella «como un cofre cerrado y sellado». Al escuchar sus palabras, a veces demasiado secas, advertimos que es persona triste y desengañada; pero también que tiene gran lucidez. Y es además enérgica, incluso un poco arrogante en ocasiones. No vacila mucho al indicar a Rosa, su hermana, qué debe hacer, cómo debe comportarse; y menos luego, al dar órdenes al pretendiente de ésta, Ramiro. Parece decidida, muy segura de sí misma. Pero lo que ella en verdad cree o piensa, lo que siente en el fondo de su alma, es secreto que sólo poco a poco se va desvelando.

Es generosa, abnegada, dispuesta siempre a contribuir a la felicidad de los otros, olvidando la suya propia. Renuncia demasiado pronto, diríase que de antemano, a todo; a cualquier ambición que pudiera tener, incluso a la de ser madre, madre verdadera; lo cual es, según pronto descubrimos, su más hondo y ardiente deseo. Cuando apenas ha comenzado el noviazgo entre Ramiro y Rosa, ya Gertrudis se dispinone a ser tía, sólo tía: «tía de tus hijos, Rosa». Y poco más adelante incita a su hermana a que diga que *sí,* que acepte sin vacilar más la propuesta de establecer relaciones que por carta había hecho Ramiro. El narrador resume lo que luego ocurre al escribir: «Al día siguiente de estas palabras estaban ya en lo que se llaman relaciones amorosas Rosa y Ramiro.» Y a continuación agrega esta línea significativa: «Lo que empezó a cuajar la soledad de Gertrudis.» Y así se indica al lector lo que sucede, o se confirma lo que ya se sospechaba.

Lo que sucede es que por quien se sentía realmente atraído Ramiro no era por Rosa, sino por Gertrudis. Y ésta lo sabía. Pero su gravedad, su mirada, esos «ojos tenaces» de Gertrudis, mujer exenta de coquetería, asustan, cohiben al débil, al tímido e indeciso Ramiro. Y por ello éste acaba por dirigirse a Rosa, más atractiva a primera vista y menos reservada: «flor de carne» y «un tanto provocativa». Gertrudis no muestra celos; sólo, quizá, una cierta melancolía. Pero no perdona nunca a Ramiro su torpeza, su ceguera, su cobardía.

Más adelante, aún en el primer capítulo, Gertrudis explica a su tío, el inocente don Primitivo, que hay que casar a Rosa con Ramiro, ya que éste «cree estar enamorado de ella». Y el buen hombre, para quien todo eran nuevas, al fin responde: «Pues bien, los casaremos, no sea que se vuelva él… o ella…» Gertrudis no dice nada, reprime su emoción; pero el autor, penetrando en los ocultos laberintos del alma de su personaje, explica:

«Por los ojos de Gertrudis pasó como la sombra de una nube de borrasca, y si se hubiera podido oír el silencio, habríase oído que en las bóvedas de los sótanos de su alma resonaba como eco repetido y que va perdiéndose a lo lejos aquello de 'o ella…'»

Ese «o ella» que resonó en los «sótanos» del alma de Gertrudis, indica, al acabar el capítulo I, que no estaba en verdad ella tan serena como parecía, que no es tan indiferente como aparenta. Se arrepintió quizá de lo que había hecho; pensó, un momento, que aún no era tarde; imaginó, horrorizada, que su actitud ante Ramiro podría cambiar súbitamente, cambiándolo todo... En todo caso nos enteramos de que, bajo su calma, hay una tormenta que lleva consigo, una pasión que reprime.

Como Ramiro, «distraído», no parece tener mucha prisa en casarse con Rosa, Gertrudis le habla, urgiéndole a que tome una decisión. El se excusa, trata de esquivarse; pero al fin, después de «luchar un breve rato consigo mismo y como si buscara algo», exclama: «¡Pues bien. Gertrudis, quiero decirte toda la veddad!» No sabemos cuál sería esa verdad, aunque lo sospechamos. Y Gertrudis también lo sospecha. Pero ella no permite que la proclame, no quiere oír la tardía confesión de Ramiro: «No tienes que decirme más verdad», le atajó severamente... Y le conmina con dureza a que se case pronto con su hermana o que desaparezca para siempre. A continuación el narrador comenta que esas palabras de Gertrudis «le brotaron de los labios fríos mientras se le paraba el corazón. Siguió a ellas un silencio de hielo... Y entonces, en el silencio agorero, podía oírsele el golpe trepidante del corazón». Y agrega aún esta línea, con la que termina el muy breve capítulo II: «Al día siguiente se fijaba la boda.»

Se casan, pues, Ramiro y Rosa, tienen hijos; y desde que nace el primero Gertrudis se convierte en la cariñosa virgen maternal, en la tía Tula. Y así sigue hasta el fin. La situación sólo cambia algo al morir Rosa. Gertrudis se instala en la casa, haciendo más que nunca el papel de madre. Ramiro, que se siente atraído hacia su cuñada cada vez con más fuerza, que la desea, quiere casarse con ella. Pero Tula le rechaza, le elude; hasta que finalmente, comprendiendo que casarse con él quizá sería lo más natural y la más conveniente situación para todos, pero dudosa aún, rencorosa y temerosa, le pide «un año de plazo para que vea claro en mí». Y sigue luego pensándolo.

En el capítulo siguiente, el X, empieza el narrador diciendo: «Y era lo cierto que en el alma cerrada de Gertrudis se estaba desencadenando una brava galerna.» Pero es sólo en el XII, a la mitad ya del libro, cuando se nos informa que «no pudo ya más con su soledad y decidió llevar su congoja al padre Alvarez, su confesor». Este comprende cuáles son las dudas de ella, sus escrúpulos, y también sus viejos rencores: «Si cuando se dirigió a su hermana, la difunta, se hubiera dirigido a usted...», especula, inquisitivo, el confesor. Y ella, a modo de respuesta, sólo gime: «¡Padre! ¡Padre!» El insiste, y da bastante bien en el clavo: «Acaso no le ha perdonado aún.» Luego insinúa que debería casarse con él, que es «débil», aunque no fuese más que por «salvarle», ya que el matrimonio «es un remedio contra la sensualidad». Esto de servir de «remedio» es cosa que a ella le repugna, al menos de momento; algo que nunca olvidará. Y en cuanto a su fortaleza, el confesor advierte claramente: «Es que esa fortaleza, hija mía, puede alguna vez ser dureza, ser crueldad», cosa que más tarde ella misma reconocería. Ahora sólo responde: «... lo comprendo, pero no quiero comprenderlo. No está solo. ¡Quien está sola soy yo! Sola..., sola..., siempre sola...». Como el sacerdote vuelve a tocar la vieja herida al decir: «Y si antes de haber solicitado a su hermana la hubiera solicitado...», ella se sulfura y evita la respuesta: «¿A mí? ¿Antes?... No hablemos ya más, padre, que no podemos entendernos...» Se levanta, se aleja; y sintiendo «su soledad más hondamente que nunca», pensaba:

«¡No, no me entiende —se decía—, no me entiende; hombre al fin! Pero ¿me entiendo yo misma? ¿Es que me entiendo? ¿Le quiero o no le quiero? ¿No es soberbia esto? ¿No es la triste pasión solitaria del armiño, que por no mancharse no se echa a nado en un lodazal a salvar a su compañero?... No lo sé..., no lo sé...»

No se sabe lo que al fin hubiera decidido Gertrudis una vez pasado el «año de plazo». Lo que ocurre es que meses antes de que llegue esa fecha, Ramiro, sin quererlo, decide la cuestión. Como él soportaba mal la forzada castidad, sedujo a la criada, la joven hospiciana, la tímida Manuela. Gertrudis al enterarse de ello exige a Ramiro que se case con la muchacha, con su víctima. Y así él lo hace, contra su voluntad. Muere poco después, inesperadamente, de una pulmonía. Pero antes de morir, en un último diálogo con Gertrudis, en el que ésta se muestra compasiva y arrepentida de su dureza, queda al descubierto el «secreto» que entre ambos había. Ramiro confiesa haberla querido más que a nadie, desde el principio, y pide que le perdone. «No, Ramiro, no; eres tú quien tiene que perdonarme», responde ella. Y agrega: «Una vez hablaste de santos que hacen pecadores. Acaso he tenido una idea inhumana de la virtud.»

En el capítulo siguiente, el XVI, muere también tras su segundo parto Manuela. Y así ya queda Gertrudis, la tía Tula, que «proveía a todo», a solas «con sus cinco críos», los hijos de Ramiro. Pasan luego unos años «apacibles y serenos», ocupada ella siempre con sus deberes y preocupaciones maternales; pero hacia el final ya de la obra, en el capítulo XIX, preocupada Tula con las «inclinaciones ascéticas» de Ramirín, el hijo mayor, surge una nueva ola de arrepentimiento. Y ya sin dudas, ya sin velo alguno que enturbie la verdad. Siente el deseo, dice a su confesor, de reunir «a mis hijos» y confesarse con ellos: «Sí, reunirles y decirles que toda mi vida ha sido una mentira, una equivocación, un fracaso...» Y a continuación le dice aún al confesor, refiriéndose a Ramiro, a su cuñado muerto: «Yo le hice desgraciado, padre; yo le hice caer dos veces... ¡Y fue por soberbia!... ¡Por amor propio, padre!», y estalló a llorar.

El arrepentimiento sigue luego, sin duda, aunque no se hable ya tanto de ello, aunque no se manifieste tan claramente. Hasta el final, capítulo XXIII, cuando poco antes de morir, delirante, explota su pesadumbre, su remordimiento y pronuncia una serie de palabras que son para el lector como chispas iluminadoras, a pesar de su aparente

14

incoherencia. Dice a sus «hijos», reunidos al lado de su cama, entre otras cosas:

«... que no tengáis nunca que arrepentiros de haber hecho algo y menos de no haberlo hecho... Y si veis que el que queréis se ha caído... en un albañal, echaos a salvarle..., servidle de remedio..., no tenemos alas..., no somos ángeles...; fango que limpia, sí... no tengáis miedo a la podredumbre.»

El «quijotismo» de Gertrudis

Al morir está ella, pues, a pesar del delirio, bien consciente de su error. Pero hay *otro error,* otro aspecto de su carácter, de su vida, al cual se alude sólo de pasada, y que ella ni siquiera reconoce como falta. Algo de lo cual no se arrepiente, al contrario, y que sin embargo quizá fuese la mayor equivocación de su vida, la causa fundamental de todos sus fracasos.

Ya al terminar el capítulo XVI se dice a sí misma que tiene que estar alerta con Ramirín, que se parece mucho a su padre, «para cuando en él se despierte el hombre, el macho más bien, y educarle a que haga su elección con reposo y tiento». Y más adelante, en el XIX, en otro soliloquio, reafirma el mismo propósito: «Que no se equivoque como él —se decía—, que aprenda a detenerse para elegir...» Bien claro resulta aquí, al recordar a Ramiro y la elección equivocada de éste, que ella está pensando sobre todo en sí misma; recordando el amor aquél suyo, primero y único, que quedó frustrado. Pero lo interesante es que a continuación, siguiendo con sus meditaciones sobre lo que debería ser el amor futuro de Ramirín, se dice ella que éste ha de ser «el amor perfecto». Y poco más adelante, resumiendo el autor las intenciones y deseos de Gertrudis, escribe: «Quería guiarle en sus primeros descubrimientos sentimentales y que fuese su amor primero el último y el único.» Eso del amor «único» no era nueva idea de ella. Ya antes, en el capítulo X, cuando dudaba si debería o no casarse con Ramiro, sustituyendo a Rosa, se dice exaltada que *no,* pues aunque su hermana le pidió, antes de morir, que se casase con él, ella no pudo querer eso, ya que: «No se puede ser más que de una...»

Un amor «perfecto», «único». Esa idea romántica sin duda fue el sueño de la joven Gertrudis. Una ilusión ésta bastante común, cierto es, muy femenina, nada extraordinaria. Pero es algo que luego se suele olvidar muy pronto. Lo extraordinario es que ella se mantuviera siempre, aun después de todas sus experiencias, aun en su madurez, firmemente aferrada a esa fantasía. La causa original del fracaso primero fue sin duda la timidez, la falta de voluntad de Ramiro. Y la desilusión hizo que ella se encerrara en sí. Pero fue sobre todo su inflexibilidad luego, el tesón con que siguió alimentando su sueño de un amor perfecto y único —y católico además, con toda su cuelga de hijos—, lo que sin duda causó, con otros varios motivos, su continuada desgracia. Su desorbitado idealismo, ese no querer aceptar la realidad, habría de condenarla fatalmente al fracaso. En este sentido es en el que podría hablarse del «quijotismo» de la tía Tula.

Y de quijotismo habla Unamuno, en el prólogo a esta obra, aunque él no especifique en qué consiste éste. Lo que sí hace Unamuno es insistir en que eso del quijotismo de la tía Tula lo vio él *después* de haber escrito la obra, no antes:

«No pensábamos en Teresa de Jesús al emprenderlo [el relato que sigue] y desarrollarlo; ni en Don Quijote. Ha sido después de haberlo terminado cuando aun para nuestro ánimo, que lo concibió, resultó una novedad este parangón, cuando hemos descubierto las raíces de este relato novelesco. Nos fue oculto su más hondo sentido al emprenderlo. No hemos visto sino después, al hacer sobre el examen de conciencia de autor, sus raíces teresianas y quijotescas.»

Pero sí debió en cambio ser propósito suyo, por lo que indica en el mismo prólogo, escribir una obra que fuese especialmente «femenil», «sororia», de relaciones entre mujeres; además de ser una indagación en los «escondrijos» de una determinada alma femenina.

Comienza Unamuno por observar lo extraño de que en español, «junto a *fraternal* y *fraternidad,* de *frater,* hermano, no tengamos *sororal* y *sororidad,* de *soror,* hermana». Más adelante agrega: «¡Pobre civilización fraternal, cainita, si no hubiera la domesticidad sororia!...» Y poco después aclara la relación que todo esto tiene con su novela, con *La tía Tula:*

«En mi novela *Abel Sánchez* intenté escarbar en ciertos sótanos y escondrijos del corazón, en ciertas catacumbas del alma, adonde no gustan descender los más de los mortales... Y aquí, en esta novela, he intentado escarbar en otros sótanos y escondrijos... Aquello pareció a alguien inhumano por viril, por fraternal; esto lo parecerá, acaso, por femenil, por sororio.»

Y esto quizás explica el sentido de esos dos últimos capítulos del libro, muerta ya la tía Tula, que tratan casi exclusivamente de relaciones femeninas, «sororias». Relaciones tan impenetrables y misteriosas éstas, en general, para los hombres, como lo han de ser para las mujeres, sin duda, las relaciones fraternales, de camaradería, entre los hombres.

Otros rasgos del carácter de la tía Tula

Resentimiento y encerramiento en sí misma, soledad al ver frustrado el sueño de un amor «perfecto» y su ardiente deseo de ser madre; y luego arrepentimiento al sentirse culpable, por su soberbia e inflexibilidad, de los pecados de otros, son algunos de los rasgos del carácter de la tía Tula que hasta ahora hemos señalado. Pero hay además otros aspectos, otros sentimientos suyos, relacionados o no con los anteriores, a los que aún hemos de referirnos siquiera sea brevemente, tratando de clarificar un poco más la visión de esa compleja figura.

Feminismo y pureza

Algunas de las acusaciones y protestas de Gertrudis contra los hombres nos hacen imaginar a esa provinciana virgen española de principios de siglo como una radical «feminista» de hoy. Claro es que ella no habla de *derechos* de la mujer: esa cuestión ni siquiera se la planteaba. Lo que hace es expresar clara y rotundamente su opinión sobre los hombres en general, a los que acusa de torpes, brutales y explotadores de la mujer. Un reproche éste que seguramente albergaron en su corazón muchas mujeres en todos los tiempos, pero que pocas, viviendo en la época y circunstancias en que la tía Tula vivió, se hubieran atrevido a airearlo con la firmeza y valentía que ella lo hace. Y sin embargo, en Gertrudis ese feminismo parece natural: una muestra más de su lucidez y de la independencia de su carácter; y también de su frustración.

Un ejemplo de la rebeldía de Gertrudis es su indignada protesta cuando el confesor le indica que debería casarse con Ramiro, ya que el matrimonio «es un remedio contra la sensualidad». Ella entonces exclama:

—«¡Pues, no, padre. No, no y no! ¡Yo no puedo ser remedio contra nada! ¿Qué es eso de considerarme remedio? ¡Y remedio… contra eso! No, me estimo en más…»

Su furia quizá provenía de que fuese precisamente a Ramiro, el hombre que pudo haber sido su grande y único amor, a quien ella ahora habría de servir de remedio. Pero no es sólo eso. Le repele también, como se ve por lo que dice en otras ocasiones, verse convertida en mero objeto sexual, como ahora se diría. Le repugna especialmente, debido a un cierto puritanismo suyo, del cual ahora hablaremos, ser remedio contra «eso».

Cierto es que mucho más tarde, a la hora de su muerte, en ese instante de total arrepentimiento, aconseja a quienes la rodean que sirvan «de remedio», si ello es necesario; que se arrojen sin temor para salvar a quien se va a hundir en el fango, aunque para ello tengan que mancharse. Mas no hay que olvidar que eso lo dice entonces, dramatizando, para incitarles a que tengan una caridad que ella no tuvo. Lo dice además pensando que con sus muchos escrúpulos y temores, con sus excesivas reservas, no sólo causó ella la desgracia de otros, sino también la suya propia: esa soledad, esa vida de solterona que ahora considera fue triste y vacía. Pero eso no quiere decir, creo yo, que servir de remedio contra «eso» le pareciese de pronto cosa admirable en cualquier circunstancia. No creo, en suma, que cambiase de opinión tanto como parece. Pero aunque hubiese cambiado a última hora, en esa situación límite en que se encontraba, ello en modo alguno borraría un firme y constante rasgo de su personalidad: la rebeldía contra el hombre, ese «feminismo» que fue característica suya a lo largo de toda su vida. Lo muestra en bastantes ocasiones, de diversos modos:

«Parézcanos bien o mal, nuestra carrera es el matrimonio o el convento...», le dice a su hermana Rosa, ya en el capítulo I. Y en el siguiente dice esto otro, que se aplica más bien a ella misma que a su hermana: «Las mujeres vivimos siempre solas.» En el VI, cuando Rosa iba a dar a Ramiro un tercer hijo, su cuñado trata de indagar por qué Gertrudis no se ha casado todavía; por qué no tiene novio. Y ella entonces, orgullosa, responde: «Pero yo no puedo buscarlos. No soy hombre, y la mujer tiene que esperar a ser elegida. Y yo, la verdad, me gusta elegir, pero no ser elegida.» En el VIII, muerta ya Rosa, estando ella haciendo el papel de madre, oye que Ramirín, el mayor de los niños, le dice a su hermanita: «Es que yo soy chico y tú no eres más que chica...» La tía Tula interviene: «Ramirín, Ramirín..., ¿qué es eso? ¿Ya empiezas a ser bruto, a ser hombre?» En el capítulo siguiente, como Ramiro la perseguía con miradas y trataba de «acercarse a ella, hasta rozarla», Gertrudis le reprende. El, a modo de excusa, pregunta entonces: «Pero ¿de qué crees que somos los hombres?» Y ella replica, tajante: «De carne y muy brutos.»

Mucho más adelante, en el capítulo XVII, Gertrudis se ve de nuevo acosada, ahora por las miradas del médico de la casa, un viudo que quería casarse con ella. Dice éste, queriendo convencerla, que él adora a los niños, y que esos huérfanos para quienes ella hace de madre necesitan también un padre. Pero Gertrudis adivina la verdad y se la dice a él claramente: «... esa historia, digo, no me ha convencido..., sino que me busca a mí y me buscaría aunque estuviese sola y hubiésemos de vivir solos y sin hijos...». El confiesa, honestamente, que eso es cierto; y entonces ella, sin más contemplaciones, le exige que «no vuelva a poner los pies en esta casa». «¿Por qué, Gertrudis?», pregunta asombrado el buen hombre. «¡Por puerco!», responde.

Se arrepiente luego un poco de su excesiva dureza: «El pobrecillo parece que necesitaba remedio...» Pero más tarde, por lo que supo, tuvo «otra sospecha que le sublevó aún más el corazón», y era que lo que él necesitaba era «una ama de casa, una que le cuide». Por eso, reflexiva, indignada, exclama para sí:

«¡Cuando una no es remedio, es animal doméstico, y la mayor parte de las veces, ambas cosas a la vez! ¡Estos hombres!... ¡O porquería o poltronería! ¡Y aún dicen que el cristianismo redimió nuestra suerte, la de las mujeres!»

Pero lo más sorprendente es lo que a continuación viene. Ello muestra que tratándose de condenar la actitud abusiva y el despotismo de los hombres con respecto a las mujeres, esa muy católica pero extraordinaria tía Tula no se paraba en barras. Siguiendo con sus reflexiones sobre el cristianismo, se le ocurre pensar lo siguiente:

«¡El cristianismo, al fin, y a pesar de la Magdalena, es religión de hombres —se decía Gertrudis—; masculinos el Padre, el Hijo y el Espíritu Santo!... Pero ¿y la Madre? La religión de la Madre está en: 'He aquí la criada del Señor, hágase en mí según tu palabra'... para que el Hijo le diga: '¿Qué tengo yo que ver contigo, mujer?'»

A lo que el narrador agrega: «Y volvió a santiguarse, esta vez con verdadero temblor. Y es que el demonio de su guarda —así lo creía ella— le susurró: '¡Hombre al fin!'»

Hay en Gertrudis —como quizá se habrá podido ya observar— junto a su feminismo un obvio puritanismo. No sólo trata de eludir las manifestaciones de los «instintos» dirigidos hacia ella, lo cual podría ser bien natural en una virgen educada tan católicamente, y más cuando esas manifestaciones procedían de Ramiro, sino que muestra también una excesiva repugnancia hacia todo lo que se relacione, aunque sólo sea muy vagamente, con la vida sexual. Y esto, unido a su obsesión por la limpieza, por la pureza y a su temor a mancharse, parece constituir ya un «complejo» que raya en lo patológico.

El autor nos permite adivinar esto, lo insinúa él mismo; aunque —tal vez por ser Unamuno algo puritano— no ahonde nunca lo bastante en esos secretos «escondrijos» del alma de su personaje. Hay, sin embargo, dichos y hechos de Gertrudis que son a este respecto significativos:

En el capítulo IV, a poco de nacer el primer hijo, Rosa, muy feliz, abraza cariñosamente a su marido, murmurando a su oído: «¡Ahora sí que te quiero!» Gertrudis estaba presente durante la escena, y el autor describe la actitud de ella en ese momento: «Gertrudis en tanto arrullaba al niño, celosa de que no se percatase —¡inocente!— de los ardores de sus padres.» Y es que ella, sigue explicando el narrador, quería «ir substrayendo al niño, ya desde su más tierna edad de inconsciencia, de conocer, ni en las más leves y remotas señales, el amor de que había brotado».

En el VIII, años después, cuando muerta ya Rosa, para poder mejor atender a los niños se había instalado Gertrudis en casa de Ramiro, explica el autor que «por las mañanas, luego de haberse levantado Ramiro, iba su cuñada a la alcoba y abría de par en par las hojas del balcón, diciéndose: 'Para que se vaya el olor a hombre.' Y evitando luego encontrarse a solas con su cuñado...». Como a pesar de sus precauciones él sigue buscándola, ella le pide que no deje «así al descubierto», delante de los niños, sus «instintos». En el capítulo siguiente vuelve a lo mismo: «Lo dicho; no quiero que ensucies así, ni con miradas, esta casa tan pura...» El, amoscado, pregunta entonces: «¿Y tú, no te has mirado nunca?» Y a Gertrudis, como si se sintiera cogida en falta, como si fuera a descubrirse de pronto su secreto, «se le demudó el rostro sereno». A continuación Ramiro, haciendo la más explícita declaración de amor que hasta entonces había hecho, le dijo: «¿Es justo que me reproches y estés llenando la casa con tu persona, con el fuego de tus ojos, con el son de tu voz, con el imán de tu cuerpo lleno de alma...?» Ella no responde, pero «toda encendida, bajaba la cabeza y se callaba, mientras le tocaba a rebato el corazón». No se sabe, no se dice, cuál es la causa verdadera de su turbación. Mas unas líneas después es cuando ella propone: «... déjame un año de plazo para que vea claro en mí...».

El capítulo XI empieza así: «'Esto necesita campo' —se dijo Gertrudis, e indicó a Ramiro la conveniencia de que todos ellos se fuesen a veranear....»— Es el único capítulo en que la acción no tiene lugar en la casa, entre paredes. Ya en el pueblo, un día en que van todos de paseo se niega ella a sentarse en el suelo: «¡No, en el suelo, no!

Yo no me siento en el suelo, sobre la tierra, y menos junto a ti y ante los niños...» Sentados en un «tronco, mirando al mar, hablaban...». Pero en cuanto él deslizaba la conversación a «senderos» peligrosos, ella llamaba a los niños. Gertrudis, que hablaba del mar, dice el autor «estaba brizando la pasión de Ramiro para adormecérsela». Pero no lo conseguía: «El campo, en vez de adormecer, no la pasión, el deseo de Ramiro, parecía como si se lo excitase más, y ella misma, Gertrudis, empezó a sentirse desasosegada.» Es en esta ocasión cuando empieza ella a hablar de la luna, de «lo intangible»; y de la «otra cara», la parte «oscura» de la luna. Una lírica divagación ésta de la que pronto vamos a ocuparnos.

El miedo que siempre tuvo al hombre es cosa que ella misma declara en el capítulo XV, en la última conversación que tiene con Ramiro, cuando éste va a morir: «Además, te lo confieso, el hombre, todo hombre, hasta tú, Ramiro, hasta tú, me ha dado miedo siempre; no he podido ver en él sino al bruto. Los niños, sí; pero el hombre... He huido del hombre...»

Alguna relación con ese temor al hombre parece tener su «pasión morbosa por la pureza, de que procedía su culto místico a la limpieza...». Habla el narrador de esa pasión al final del capítulo XVIII, al contar que cuando la última hija de Ramiro, muy enfermiza, a la que amorosamente cuidaba Gertrudis, muerta ya Manuela, ensució un día «aquella casa, limpia siempre hasta entonces», tía Tula sintió de pronto «la punzada de la mancha». Pero hizo un esfuerzo por «dominarse», ya que comprendía que «no cabe vivir sin mancharse».

Otro ejemplo de su obsesión de pureza lo vemos en el capítulo siguiente, en el que se habla de la educación de Ramirín. Gertrudis no sólo quiere guiarle hacia «el amor perfecto», sino que le ayuda también con la geometría, estudiándola al mismo tiempo que él. Dice el autor: «¡Nunca lo hubiese ella creído! Y es que en aquellas demostraciones de la geometría... encontraba Gertrudis un no sabía qué de luminosidad y de pureza.» Muchos años después —nos cuenta también el autor— recordaba Ramirín que habiendo un día caído una mancha de grasa en uno de esos «modelos en cartulina blanca, blanquísima, que ella misma había construido..., hizo otro, porque decía que con la mancha no se veía bien la demostración. Para ella la geometría era luz y pureza». Pero en cambio «huyó de enseñarle anatomía y fisiología. 'Esas son porquerías'», decía.

Y aún poco antes de morir, al final del capítulo XXI, dice la vieja tía Tula: «Quiero irme de este mundo sin saber muchas cosas... Porque hay cosas que el saberlas mancha...» Se puede, pues, sospechar, aun sin ser muy freudiano, que bajo esa obsesión de pureza y ese horror a todo lo fisiológico se esconde una represión sexual.

La «otra cara» de Gertrudis

El lector de *La tía Tula* puede presentir a veces a una diferente Gertrudis: la escondida, la de dentro, la desconocida. O imaginar a la Gertrudis que *pudo ser,* la que se adivina latente, como posibilidad, en la que vemos. Se puede imaginar, por ejemplo, cómo hubiera ella sido de haber encontrado, o creído encontrar, el «amor perfecto». O si, venciendo su orgullo y sus temores, se hubiera casado al fin con Ramiro y hubiese llegado a tener hijos verdaderos suyos.

Pero no es sólo el lector quien piensa en la «otra» Gertrudis. Es ella misma quien al mirar dentro de sí o recordar el pasado, lo que hizo y dejó de hacer, se encuentra a veces con la sombra de esa «otra». En ella piensa sin duda, al menos implícitamente, cuando llega la época del arrepentimiento. Pero entonces ya es tarde. La «otra», que al principio, hasta la mitad de la novela, es todavía una posibilidad, una idea que podría llegar a tener vida real, luego se convierte en la mera, triste constatación, de que ella no ha sido ni será ya nunca lo que pudo ser. Y en eso consiste la importancia de la dramática escena última, poco antes de su muerte. Con entrecortadas palabras declara entonces su arrepentimiento y su pena. Un arrepentimiento que ya no sirve para nada. No para cambiar el rumbo de su vida, en todo caso. Y así se acaba de redondear el carácter de ese personaje; así culmina su historia, que nos conmueve precisamente por esa clara consciencia que ella adquiere a última hora, cuando ya es muy tarde, del gran error, del fracaso que ha sido toda su vida.

Pero hay un momento en la obra, al que ya antes hemos aludido, en el capítulo XI, en que mirando a la luna mira ella en verdad dentro de sí y ve a la «otra», a la que se esconde en ella. Y esta vez no es demasiado tarde. Aún podría, si quisiera, permitir que la otra saliera a la luz, que llegase a vivir.

Mira dentro de sí y habla de eso, de lo que ve, aunque en forma elíptica y simbólica, como si apenas fuera consciente de ello. Habla de sus escondidos deseos, de sus sueños. Y lo hace porque se encuentra en un momento crítico, porque tiene que escoger el rumbo que habrá de tomar su vida, decidir, y no acaba de decidirse. Vacila porque teme, y lucha consigo misma.

Quiso «adormecer» el deseo de Ramiro, como vimos, pero no lo consiguió. Y ella misma se siente ahora desasogada. El campo, piensa, no ofrecía una «lección de pureza. Lo puro allí era hundir la mirada en el mar. Y aun el mar... La brisa marina les llegaba como un aguijón». Es a continuación de esto cuando Gertrudis de pronto exclama: «¡Mira qué hermosura!» Y el narrador nos pinta el bello espectáculo:

«Era la luna llena, roja sobre su palidez, que surgía de las olas como una flor gigantesca y solitaria en un yermo palpitante.»

No sería razonable tratar de leer algo «simbólico» en esta descripción si no fuera porque, como se verá muy pronto, lo que ella dice luego de la luna resulta tener un doble sentido. Ella misma parece tener, en parte al menos, consciencia de eso. Y más aún Ramiro, y desde luego el autor. Por eso la citada descripción —no olvidando que se trata esta vez de palabras del narrador, no de Gertrudis— podría interpretarse de este modo:

La gran luna «llena, roja», que causa la admiración de Gertrudis, ésa como «flor gigantesca» que surgiendo de las aguas aparece de pronto en el horizonte, es identificada por ella como el escondido sueño de un amor grande y hermoso que súbitamente se exterioriza, que está ya a la vista. El rojo vital cubre ahora la ordinaria «palidez» de su cara; esa como gran «flor» que parece estar al alcance de su mano, anima por un momento el «yermo palpitante» que es el mar: la inmensa soledad, vibrante y como en espera que es su vida.

Ramiro, que siempre trata de llevar la conversación por senderos que pudieran conducirle más rápidamente a su meta, se pregunta por qué la luz de la luna «será la luz romántica y de los enamorados». Ella no tiene respuesta a eso; pero se le «ocurre» pensar que aunque la luna es tierra, «es una tierra... que vamos sabiendo que nunca llegaremos a ella..., es lo inaccesible». Podría suponerse que lo que quiere decir —y así parece que lo entiende Ramiro— es que ella misma es «inaccesible». Y quizá quiera decir también eso. Mas por lo que sigue luego se ve que más bien se refiere, o se refiere *además,* a su gran ilusión de un amor perfecto, que dice que no podrá nunca realizarse, pues agrega: «... en la luna creemos que se podría vivir y en paz y crepúsculos eternos, sin tormentas..., pero sentimos que no se puede llegar a ella... Es lo intangible...».

Ramiro, pensado más que en la luna en la reservada actitud de Gertrudis frente a él, comenta: «Y siempre

nos da la misma cara…, esa cara tan triste y tan seria…»
«Sí…», empieza a responder ella. Pero es interesante notar que antes de reproducir la entera respuesta, el narrador intercala este comentario: «Y al decirlo parecía que Gertrudis seguía sus propios pensamientos sin oír los de su compañero, aunque no era así.» Entonces viene la continuación de la respuesta: «Siempre enseña la misma cara porque es constante, es fiel.» Lo cual no sólo parece adecuada contestación a lo que Ramiro dijo de la cara «seria», sino también un modo de recordarle que mientras ella es fiel a su amor primero, él no lo fue. Y acaba, siguiendo con la luna, pero pensando seguramente, a la vez, en lo que ella esconde dentro de sí: «No sabemos cómo será por el otro lado…, cuál será su otra cara…»

Ramiro, que debía estar mirando la cara de Gertrudis más que la de la luna, comenta: «Y eso añade a su misterio.» A lo que ella, algo coqueta por primera vez, satisfecha, responde: «Puede ser…, puede ser… Me explico que alguien anhele llegar a la luna…, ¡lo imposible!…, para ver cómo es por el otro lado…, para conocer y explorar su otra cara…»

El, que en alguna ocasión había ya antes insinuado que lo que ella escondía dentro de sí quizá no fuese tan puro como pudiera creerse, dice ahora, algo agresivo: «La oscura…» Y ella parece protestar cuando responde: «¿La oscura? ¡Me parece que no! Ahora que ésta vemos está iluminada, la otra estará a oscuras, pero… está en luz por el otro, es luna llena de la otra parte…»

Siempre práctico, Ramiro pregunta entonces: «¿Para quién?» Y ella, como ofendida, dolida, encerrándose de nuevo en sí, responde: «Para el cielo, y basta… ¿O para que hablemos estas tonterías?» Viendo que de nuevo se le escapa, Ramiro intenta conducir la conversación por rutas menos líricas y simbólicas, y empieza diciendo: «Pues bien, mira, Tula…» Pero ella, que ve el peligro, no le deja seguir por ese camino. Se esquiva, tratando de protegerse como siempre en los niños, y grita: «¡Rosita!»

A continuación el narrador escribe, irónico: «Y no le dejó comentar la intangibilidad y la plenitud de la luna.» Por eso y por lo que sigue el autor diciendo, se comprende bien que Ramiro, y no sólo el narrador, tenía idea bastante clara del verdadero sentido de las palabras de Gertrudis cuando ésta hablaba de la luna. Resume en el siguiente párrafo:

«Cuando ella le habló de volver ya a la ciudad, apresuróse él a aceptarlo. Aquella temporada en el campo, entre la montaña y el mar, había sido estéril para sus propósitos. 'Me he equivocado —se decía también él—; aquí está más segura que allí, que en casa… aquí es tan intangible como la luna…'»

Y volvieron a la ciudad donde, pensaba ella, «adormecería mejor a su cuñado». Pero no le adormeció, ni se adormeció ella tampoco. Seguía dudando, resistiendo, luchando. En el capítulo siguiente es cuando se decide a «llevar su congoja» al confesor, y acaba, como ya anteriormente dijimos, preguntándose si su resistencia no sería «soberbia», si no la causaba el temor a «mancharse».

Quizás hubiera acabado por casarse con él. Pero como también ya dijimos, es Ramiro quien resuelve la duda. Atrae a su cuarto a la pobre y delgaducha Manuela, la criada, y la deja embarazada. Y entonces Gertrudis no sólo se niega a casarse con él, definitivamente, sino que le obliga a que se case con Manuela.

A partir de entonces, la Tula de dentro, la que nunca llegó a florecer, comenzó a eclipsarse. Sólo quedó de ella el recuerdo de un sueño y de un deseo frustrados. Y la «otra cara» de Gertrudis, nunca vista, siguió siendo hasta el final un misterio que nunca llegó a aclararse.

Vivir «fuera del mundo»

En el capítulo XXI vemos a Gertrudis disponiéndose a morir. Comienza el narrador diciendo: «¿Qué le pasaba a la pobre Gertrudis, que se sentía derretir por dentro?» Dejaba a sus sobrinos «a cubierto de la peor tormenta.» Y, sin embargo, o precisamente por eso mismo, sintiéndose ya inútil, «se sentía deshacer». Todo le parecía un sueño:

«... durante días enteros lo veía todo como en niebla, como si fuese bruma y humo todo. Y soñaba; soñaba como nunca había soñado. Soñaba lo que Ramiro habría sido si Ramiro hubiese dejado por ella a Rosa... ella había pasado por el mundo fuera del mundo».

Las causas de que tuviera esa sensación de haber estado viviendo «fuera del mundo» debían ser varias y complejas, pero la fundamental, sospechamos, es que ella no había tenido nunca hijos verdaderos. Al final del capítulo siguiente, muy próxima ya la muerte, habla con Manolita, la enfermiza hija de Manuela, su preferida, y le dice:

«Bueno, y ahora trae la muñeca, que quiero verla. ¡Ah! ¡Y allí, en un rincón de aquella arquita mía... sí, ésa, ésa! Allí... hay otra muñeca..., la mía..., la que yo tenía siendo niña..., mi primer cariño... Tráeme las dos muñecas, que me despida de ellas, y luego nos pondremos serias para despedirnos de los otros...»

Pero inmediatamente después de haber mencionado a «los otros», le dice a Manolita, cambiando bruscamente de tono: «Vete, que me viene un mal pensamiento —y se santiguó.» Cuál era ese mal pensamiento lo dice a continuación el narrador: «El mal pensamiento era que el susurro diabólico allá, en el fondo de las entrañas doloridas con el dolor de la partida, le decía: '¡Muñecos todos!'»

¿Muñecos todos? ¿Les ha perdido a todos de pronto el cariño? Lo que sucede, al parecer, es que de pronto, recordando una vez más que no son hijos suyos de verdad, tiene el «mal pensamiento» de verlos como «muñecos»; falsos hijos, como lo fue la muñeca aquella de su infancia.

En el capítulo siguiente, antes de pronunciar sus últimas palabras —esas en que muestra su arrepentimiento por el daño que pudo causar a otros con sus rencores y su temor a mancharse—, murmura otras breves, que muestran también arrepentimiento, dolor; pero ahora es dolor lamentando el daño que se hizo a sí misma: «... no he estado nunca ni viva ni muerta...».

Su sobrino, al oírla, cree que delira, pero no delira: ella reconoce simplemente la verdad; lo que, en el fondo, siempre sintió.

Esta visión de la tía Tula, descontenta con su suerte por no haber tenido hijos verdaderos, quizá contradiga la imagen que se suele tener de ella, y contradice tal vez la visión del propio Unamuno, al menos la que él tenía de ella al principio, cuando la concibió. En una carta a Juan Maragall, escrita desde Salamanca el 3 de noviembre de 1902, decía Unamuno:

«Ahora ando metido con una nueva novela, *La tía,* historia de una joven que rechazando novios se queda soltera para cuidar a unos sobrinos, hijos de una hermana que se le muere. Vive con el cuñado, a quien rechaza para marido, pues no quiere *manchar* con el débito conyugal el recinto en que respiran aire de castidad sus *hijos.* Satisfecho el instinto de maternidad, ¿para qué ha de perder su virginidad? Es virgen madre. Conozco el caso.»

Casi todo lo que ahí indica coincide bastante con lo que luego sería el tema de la novela en su versión final, aunque no se mencione en la carta el resentimiento contra el cuñado. Pero en lo que difieren sobre todo la *tía* que él primero imaginó con la tía Tula es en lo de la satisfacción. Seguramente Unamuno conoció a alguna doncella maternal que le sirvió de modelo, y quizá ésta se quedó en verdad contenta guardando su virginidad. Y muy contenta, al parecer, iba a vivir esa «virgen madre» de que habla en la carta, la cual estaba él entonces creando. Pero el hecho es que la tía Tula que le salió después, no vivió contenta: no satisfizo nunca del todo su «instinto de maternidad» ni se sintió tampoco muy feliz con su virginidad.

SOBRE EL MODO DE NARRAR EN «LA TÍA TULA»

La «realidad íntima» unamunesca

La novela, pensaba Unamuno, ha de ser creación de una «realidad íntima». Se deberían eliminar muchos detalles inútiles, mucho de lo anecdótico y externo y concentrarse en lo esencial: el alma del personaje. Esta teoría la llevó él a la práctica con mucho más éxito que otras veces en *La tía Tula*.

En el prólogo a sus *Tres novelas ejemplares y un prólogo*, de 1920, decía:

«Y llamo ejemplares a estas novelas porque las doy como ejemplo —así, como suena—, ejemplo de vida y de realidad... Sus agonistas, es decir, luchadores —o si queréis los llamaremos personajes—, son reales, realísimos, y con la realidad más íntima, con la que se dan ellos mismos...»

Esribe eso, desafiante, recordando quizá las críticas que le habían hecho por sus anteriores novelas, y pensando en las que temía le iban a hacer de nuevo acusándole de falta de «realismo». Muy cierto es lo que él dice a continuación de que nada hay «más ambiguo que eso que se llama realismo en el arte literario». Pero por muy ambiguo que sea el término, no creo pueda nunca decirse que son «realísimos» los personajes de esas tres novelitas *ejemplares*. Sus «agonistas» son ahí más bien dramatización de ideas, o acaso personificación de exagerados sentimientos.

Pasa luego Unamuno a hacer un ataque directo al realismo en literatura, pensando en el realismo decimonónico, y muy especialmente tal vez en el de Galdós, a quien él no nombra, sin embargo, en esta ocasión:

«Verdad es que el llamado realismo, cosa puramente externa, aparencial, cortical y anecdótica, se refiere al arte literario y no al poético o creativo... En una creación la realidad es una realidad íntima, creativa y de voluntad.»

Lo de la «voluntad» lo dice sin duda refiriéndose a los personajes de las *Tres novelas ejemplares,* todos muy voluntariosos. Pero aparte eso, es claro que lo que Unamuno pensaba que debería hacerse, y lo que hizo él varias veces en sus novelas, fue reducir al mínimo lo «aparencial, cortical», las alusiones incluso al alrededor, a las circunstancias, para concentrarse en la «realidad íntima» de los personajes. Mas el lector puede preguntarse, a la vista de algunos resultados, si es posible en verdad producir «criaturas vivas», como también él dice, con ese método. Al eliminar o hacer casi invisible lo aparencial, al rarificar tanto el ambiente, ¿no se priva a las crituras de vida tanto externa como íntima? Todo lo que vive, vive en un cierto mundo, en una determinada circunstancia, no en el vacío. Una crítica ésta que ya se ha hecho y se seguirá haciendo, con razón, a algunas novelas de Unamuno. Pero no estaría justificada en el caso de *La tía Tula,* no al menos en lo que se refiere al personaje principal.

Y esto prueba una vez más, en éste como en otros casos, con otras teorías, que lo que importa no es tanto la teoría como la práctica. Lo que importan son los resultados. Y *La tía Tula* es el mejor resultado, el más logrado fruto de las ideas de Unamuno sobre la novela.

Acaba su ataque al realismo vulgar, en el mismo prólogo, diciendo:

«Las figuras de los realistas suelen ser maniquíes vestidos, que se mueven por cuerda y que llevan en el pecho un fonógrafo que repite las frases que su Maese Pedro recogió por calles y plazuelas y cafés y apuntó en su cartera.»

No parece esto muy exacto si se piensa, por ejemplo, en las mejores novelas de Galdós. Más bien eso que Unamuno dice nos hace pensar en algunos personajes de Unamuno mismo, que si no parecen maniquíes vestidos sí parecen a menudo muñecos movidos «por cuerda». Una cuerda que además se vé; como se ve también —y demasiado— a su creador, al que tira de los hilos. Y también se oye con frecuencia la voz de Unamuno cuando él les permite hablar.

Pero esto, repetimos, no sucede con la tía Tula, que vive, habla y siente por su cuenta. Mas, se dirá, ¿cómo es esto posible? ¿Cuál es la causa de que haya podido conseguir aquí, con los mismos métodos, lo que no pudo conseguir en otras ocasiones? La respuesta no es fácil. Quizá ello ocurra porque Gertrudis es una figura compleja, que evoluciona, y al ir el autor mostrando sus profundidades y cambios, le va dando intensa vida, aunque prescinda en su historia de detalles superficiales. O tal vez porque estaba ya viva desde el principio, bien formada en la mente de su autor cuando éste empezó a escribir sobre ella, y así al ir a contar conoce ya su meta, y al ahondar en los escondrijos de su personaje sabe muy bien lo que está buscando.

Lo que en todo caso no podría decirse es que el personaje este sea vivo y natural porque Unamuno, al escribir la novela, olvidara sus teorías y no suprimiera tanto como otras veces lo externo y anecdótico. La supresión es en *La tía Tula* más radical quizá que en cualquier otra novela suya. Muy poco se dice del aspecto físico de Gertrudis o de los otros caracteres. Nada de la época o lugar en que se desarrolla la acción. La mayoría de las conversaciones tienen lugar en una habitación que no se describe. No se sabe dónde o cómo viven esas personas. Aunque, cierto es, algo de todo esto aparece sugerido, muy levemente sugerido, en alguna que otra línea, aquí o allá.

Sí puede decirse, en cambio, que los personajes todos en esta novela no hacen ni dicen nunca cosas extraordinarias, increíbles. Todo es *natural:* lo que oímos, lo poco que vemos, o lo que el narrador nos dice de esos personajes. Y esto, claro es, contribuye mucho a la impresión de realidad que recibimos, a pesar de la falta de detalles.

Gertrudis se dibuja en nuestra mente con bastante claridad apenas la vemos aparecer en las primeras páginas. Y el narrador logra esto con gran economía de palabras. Las descripciones y explicaciones son breves, esquemáticas. Pero se destacan bien, debido a la reiteración, ciertas actitudes significativas, ciertas palabras clave que nos ponen en la pista de la desconocida vida interior de Gertrudis, de esa oscura y atormentada alma suya. La novela empieza de este modo:

«Era a Rosa y no a su hermana Gertrudis, que siempre salía de casa con ella, a quien ceñían aquellas ansiosas miradas que les enderezaba Ramiro. O, por lo menos, así lo creían ambos, Ramiro y Rosa, al atraerse el uno al otro.»

En este primer párrafo está ya esbozada la historia que va a seguir; todo el drama posterior, el cual proviene de ese error inicial de Ramiro y Rosa, que «creían» algo que no era cierto. Todo arranca de esa torpeza y timidez de Ramiro, que no sabía al principio leer con claridad en sí mismo ni en los otros. Gertrudis en cambio, lúcida y segura, ve claro desde el primer momento. Eso no se dice aún aquí, en ese primer párrafo, pero se insinúa ya, pues a ella se la excluye del error en que cayeron «ambos, Ramiro y Rosa».

En los dos párrafos siguientes se señala el contraste entre las dos hermanas, muy diferentes, «siempre juntas, aunque no por eso unidas siempre». Rosa era «hermosura espléndida», mas de Gertrudis se destaca sólo su firme mirada, sus «ojos tenaces». Mientras su hermana era como flor abierta «a todo viento y a toda luz», Gertrudis «era como un cofre cerrado». En el párrafo que sigue se repite, significativamente: «Pero Ramiro... no creyó ver más que a Rosa...»

Como en casi todos los capítulos que siguen, tras la breve introducción del narrador viene el diálogo. Empieza Rosa preguntando a su hermana: «¿Sabes que me ha escrito?» Y Gertrudis responde: «Sí, vi la carta.»

Estas escuetas palabras son típicas de ella. Habla poco, generalmente para responder a una pregunta, y las respuestas son casi siempre muy cortas. Pero ella sabe siempre más de lo que su interlocutor cree. Parece a menudo fría, indiferente. Por esas primeras palabras suyas diríase que no le interesan mucho las relaciones que puedan o no entablarse entre Ramiro y Rosa. Ella guarda siempre, externamente, su serenidad; pero no tardamos en adivinar, y pronto comprobamos, que la procesión va por dentro.

Ya que Gertrudis aparece tan bien delineada desde el principio, podría pensarse que esto ha de ser causa de que se pierda pronto el interés en ella, pues no podrá darnos muchas sorpresas. Mas ocurre precisamente lo contrario. Por lo mismo que el lector fácilmente intuye desde el principio las contradicciones y conflictos de su alma, se va interesando luego cada vez más en ella a medida que se van revelando y aclarando sus secretos.

Los diálogos, el narrador y el tiempo en la novela

La mayor parte de *La tía Tula* está escrita, como ya hemos indicado, en forma de diálogos. Y sabido es que la palabra hablada resulta casi siempre el medio más eficaz, indispensable casi, para dar vida a los caracteres. Los diálogos además, al implicar la presencia física de los personajes, hacen a éstos de algún modo visibles, imaginables, aunque no se los describe físicamente en ninguna parte. El abundante uso de la palabra hablada en esta obra, y su naturalidad, en general, compensa, pues, la escasez de detalles, la brevedad de las alusiones referentes al mundo externo.

En todos los diálogos, salvo los que se encuentran en los dos últimos capítulos, cuando ella está ya muerta, interviene Gertrudis. Y siempre lo más importante, lo que más interesa, es lo que ella dice, o lo que calla; lo que adivinamos que en verdad piensa o siente, no lo que digan o dejen de decir los otros. Las palabras de los otros, así como también sus actos, parecen tener como objeto casi único dar al autor la oportunidad de mostrarnos las reacciones de Gertrudis. Todo gira en torno a ella. Gertrudis es siempre el foco y el eje de la novela.

En cuanto a la forma de intervenir el narrador de esta novela —dejando ahora ya aparte los diálogos—, puede decirse que es bastante tradicional. Es la forma típica en una novela realista: el narrador, omnisciente, es «objetivo». Nos deja oír lo que se dice, nos hace imaginar lo que ocurre, y lo que pasa dentro del personaje. Pero él no interviene con juicios morales ni con comentarios superfluos o digresiones; y no habla tampoco de sí mismo.

En la breve introducción que suele en esta novela preceder a los diálogos, se informa al lector de la situación o de los cambios ocurridos. Hay luego, entre las frases del diálogo, algunos incisos del narrador para indicar un acto, un gesto o estado de ánimo. Y a veces, al abarcar un período más grande de tiempo, hay resúmenes más extensos referentes a los hechos pasados, pero sobre todo referentes a la situación y a los sentimientos de Gertrudis. Nada original, pues, en todo esto en cuanto al modo de narrar, salvo la falta casi total de alusiones relativas al mundo en que se mueven los personajes.

No es tampoco original, pero sí una técnica muy útil y efectiva en esta novela, esa especie de inmersión que el narrador hace de pronto introduciéndose en el alma de su personaje para decirnos lo que ocurre por dentro. Se reproduce entonces, en forma directa o indirecta, un monólogo interior. O bien el narrador explica, describe lo que sucede en ese alma en un determinado momento. Sabemos así lo que en verdad ella siente, lo cual en el caso de persona tan reservada y poco transparente como Gertrudis es siempre esclarecedor. En tales descripciones de lo interno, emplea Unamuno a veces una cierta retórica, sobre todo por el excesivo uso de imágenes, pero ello no oscurece lo que nos comunica.

Lo que sí ocurre en ciertas ocasiones en esos buceos, es que al transmitirnos el autor el estado de alma de Gertrudis, nos parece de pronto reconocer la mismísima voz de Unamuno. Diríase que ella, para sus monólogos, toma prestadas frases de Unamuno; o bien que Unamuno se las presta sin que ella las pida o necesite. Y cuando no se trata de monólogos, sino que el autor, resumiendo, nos explica qué es lo que ella piensa o siente, reconocemos aún más claramente, a veces, la voz de Unamuno. Pero esto no quiere decir que falsee el carácter de su personaje. Parecen ser, en efecto, los verdaderos pensamientos y sentimientos de ella, aunque expresados en forma algo unamunesca en ocasiones. Y esto es causa de que el lector recuerde o pueda recordar que hay un *autor,* cosa que no debe ocurrir si nos atenemos estrictamente a las reglas flaubertianas de la técnica narrativa en la novela realista. El autor debe desaparecer, hacer que se olvide completamente su existencia. Claro es que éstas son reglas de los *realistas,* no de Unamuno. Mas ya que la técnica fundamental en esta novela, salvo en eso de la falta de detalles y descripciones externas, es la típica de esos realistas, notamos inmediatamente el fallo. Por fortuna, ello ocurre pocas veces; y además no tiene, en el fondo, verdadera importancia.

En cuanto al ritmo de la novela, puede decirse que, paradójicamente, resulta a la vez lento y rápido. Por un lado, la constante presencia de Gertrudis en situaciones bastante parecidas, esos repetidos diálogos en los que siempre ella interviene dejándonos ver parte de sus sentimientos, nos producen una impresión de inmovilidad, de lentitud. Diríase que la obra es tan sólo un concentrado análisis psicológico. Por otra parte, como la historia abarca un buen número de años, es la historia de toda una vida, de varias incluso, y hay numerosos cambios, muertes y nacimientos, y todo ello se cuenta en un número relativamente corto de páginas, el ritmo de la novela ha de resultar necesariamente rápido.

Determinados acontecimientos, algunos momentos culminantes, van marcando en la historia el camino seguido, y ayudan a mantener el interés, a mantener relativamente tenso el hilo narrativo. El autor, sin embargo, no se detiene excesivamente en esos momentos dramáticos —muerte de Rosa, segunda caída de Ramiro y posterior muerte de éste, muerte de Manuela—, y a nosotros tampoco nos interesan por sí mismos demasiado. Lo que ocurre es que tales sucesos determinan un cambio en la situación de Gertrudis, y esto a su vez un cierto cambio en sus sentimientos, que es lo que verdaderamente interesa. Esos momentos cumbre están, naturalmente, espaciados en el tiempo: entre uno y otro pasan a veces años. Pero como la novela es más bien corta, y en ella al pasar de una página a otra vemos a menudo que han transcurrido meses y aun años, los intervalos entre esas escenas que determinan un cambio en la situación resultan, generalmente, para el lector, muy cortos. Y esto contribuye a la impresión de ritmo *rápido* que recibimos, en contraste con el ritmo *lento* que produce la continuada visión de la misma persona, la continuada exposición de los enredados sentimientos de ésta.

Los caracteres menores

De los otros caracteres de la novela poco hay que decir. No percibimos su «realidad íntima», y naturalmente poco de la exterior. Rosa y Manuela están bien caracterizadas con pocas palabras, pero son más bien «prototipos», sin carácter individual. Apenas se desarrollan, y aparecen además muy poco. Ramirín y los otros *hijos* e *hijas* de Gertrudis, apenas son más que nombres. Sólo al final, cuando hablan entre sí las mujeres, siempre bajo la sombra aún de la tía Tula ya muerta, adquiere alguna un poco de vida, cierta personalidad al manifestar sus afectos, celos y rencores; pero no lo bastante para que ello llegue a interesarnos.

Aparte Gertrudis, el personaje a quien más oímos es Ramiro. Es también el que más se desarrolla. Pero aunque no pueda decirse que sea un personaje «falso», no resulta tampoco del todo convincente. Primero aparece sólo como tímida sombra. Luego, al morir Rosa, el autor le dedica un entero capítulo para decir qué clase de relación tuvo él con su esposa, y cómo evolucionó ésta. El narrador explica con sus propias palabras, resume, para acabar diciéndonos que no fue aquello «amor», cosa de libros, sino más bien «cariño», costumbre. Una vieja idea ésta de Unamuno sobre el amor matrimonial que él le cuelga a su personaje. Luego le vemos persiguiendo a Gertrudis, y al fin, a la hora de su muerte, de nuevo sumiso. Y nada de incoherente, de irreal o imposible hay en todos estos cambios, en todos esos varios aspectos de Ramiro. Pero, sin embargo, el personaje no resulta demasiado vivo ni interesante.

El personaje más real entre los menores es don Primitivo, el tío sacerdote que hizo de padre para Gertrudis y

Rosa. Aparece sólo al principio, muere pronto y apenas tiene en verdad un papel en la novela. Se le describe en un par de páginas, y de un modo algo indirecto, pues se habla sobre todo de Gertrudis, o más bien del temor y respeto que la inteligente y reservada mocita producía en el buen hombre, en el «pobre señor». Y, sin embargo, por la expresiva forma en que se cuenta esto, aparece como el más vivo y simpático de los caracteres menores.

En total puede decirse que todos los otros caracteres forman en esta novela una especie de coro cuya única función es señalar a Gertrudis, hacer que destaque la solitaria figura de esa mujer excepcional. Un ser tan vivo que no sólo escapa de las manos de Unamuno, rompiendo los hilos que pudieran al principio haberla unido a él, sino que parece también escapar, igual que los personajes de algunas grandes novelas, de las páginas mismas del libro en que está encerrada.

Antonio Sánchez-Barbudo

Mayo de 1980.

LA TIA TULA

PROLOGO

(QUE PUEDE SALTAR EL LECTOR DE NOVELAS)

«*Tenía uno (hermano) casi de mi edad, que era el que yo más quería, aunque a todos tenía gran amor y ellos a mí; juntábamonos entrambos a leer vidas de santos. Espantábanos mucho el decir en lo que leíamos que pena y gloria eran para siempre. Acaecíanos estar muchos ratos tratando desto y gustábamos de decir muchas veces para siempre, siempre, siempre. En pronunciar esto mucho rato era el Señor servido, me quedase en esta niñez imprimido el camino de la verdad. De que vi que era imposible ir adonde me matasen por Dios, ordenábamos ser ermitaños, y en una huerta que había en casa procurábamos, como podíamos, hacer ermitas poniendo unas pedrecillas, que luego se nos caían, y ansí no hallábamos remedio en nada para nuestro deseo; que ahora me pone devoción ver cómo me daba Dios tan presto lo que yo perdí por mi culpa.*

... ...

»Acuérdome que cuando murió mi madre quedé yo de edad de doce años, poco menos; como yo comencé a entender lo que había perdido, afligida fuime a una imagen de Nuestra Señora y supliquéle fuese mi madre con muchas lágrimas. Paréceme que aunque se hizo con simpleza, que me ha valido, pues conocidamente he hallado a esta Virgen Soberana en cuanto me he encomendado a ella, y en fin, me ha tornado a sí.»

43

(Del capítulo I de la *Vida de la Santa Madre Teresa de Jesús,* que escribió ella misma por mandado de su confesor.»

«*Sea Dios alabado por siempre, que tanta merced ha hecho a vuestra merced, pues le ha dado mujer, con quien pueda tener mucho descanso. Sea mucho de enhorabuena, que harto consuelo es para mí pensar que le tiene. A la señora doña María beso siempre las manos muchas veces; aquí tiene una capellana y muchas. Harto quisiéramos poderla gozar; mas si había de ser con los trabajos que por acá hay, más quiero que tenga allá sosiego, que verla padecer.*»

(De una carta que desde Ávila, a 15 de diciembre de 1581, dirigió la Santa Madre y Tía Teresa de Jesús, a su sobrino don Lorenzo de Cepeda, que estaba en Indias, en el Perú, donde se casó con doña María de Hinojosa, que es la señora doña María de que se habla en ella.)

En el capítulo II de la misma susomentada Vida, *dice la Santa Madre Teresa de Jesús que era moza «aficionada a leer libros de caballerías» —los suyos lo son, a lo divino— y en uno de los sonetos, de nuestro* Rosario *de ellos, la hemos llamado:*

Quijotesa
a lo divino que dejó asentada
nuestra España inmortal, cuya es la empresa:
sólo existe lo eterno; ¡Dios o nada!

Lo que acaso alguien crea que diferencia a Santa Teresa de Don Quijote, es que éste, el Caballero —y tío, tío de su inmortal sobrina— se puso en ridículo y fue el ludibrio y juguete de padres y madres, de zánganos y reinas; pero ¿es que Santa Teresa escapó al ridículo? ¿Es que no se burlaron de ella? ¿Es que no se estima hoy por

44

muchos quijotesco, o sea ridículo, su instinto, y aventurera, de caballería andante, su obra y su vida?

No crea el lector, por lo que precede, que el relato que se sigue y va a leer es, en modo alguno, un comentario a la vida de la Santa española. ¡No, nada de esto! Ni pensábamos en Teresa de Jesús al emprenderlo y desarrollarlo; ni en Don Quijote. Ha sido después de haberlo terminado cuando aun para nuestro ánimo, que lo concibió, resultó una novedad este parangón, cuando hemos descubierto las raíces de este relato novelesco. Nos fue oculto su más hondo sentido al emprenderlo. No hemos visto sino después, al hacer sobre él examen de conciencia de autor, sus raíces teresianas y quijotescas. Que son una misma raíz.

¿Es acaso éste un libro de caballerías? Como el lector quiera tomarlo... Tal vez a alguno pueda parecerle una novela hagiográfica, de vida de santo. Es, de todos modos, una novela, podemos asegurarlo.

No se nos ocurrió a nosotros, sino que fue cosa de un amigo, francés por más señas, el notar que la inspiración —¡perdón!— de nuestra nivola Niebla era de la misma raíz que la de La vida es sueño, de Calderón. Mas, en este otro caso, ha sido cosa nuestra el descubrir, después de concluida esta novela que tienes a la vista, lector, sus raíces quijotescas y teresianas. Lo que no quiere decir, ¡claro está!, que lo que aquí se cuenta no haya podido pasar fuera de España.

Antes de terminar este prólogo queremos hacer otra observación, que le podrá parecer a alguien quizá sutileza de lingüista y filólogo, y no lo es sino de psicología. Aunque ¿es la psicología algo más que lingüística y filología?

La observación es que así como tenemos la palabra paternal y paternidad que derivan de pater, padre, y maternal y maternidad, de mater, madre, y no es lo mismo, ni mucho menos, lo paternal y lo maternal, ni la paternidad y la maternidad, es extraño que junto a fraternal y fraternidad, de frater, hermano, no tengamos sororal y sororidad, de soror, hermana. En latín hay sororius, a um, lo de la hermana, y el verbo sororiare, crecer por igual y juntamente.

Se nos dirá que la sororidad equivaldría a la fraternidad, mas no lo creemos así. Como si en latín tuviese la hija un apelativo de raíz distinta que el de hijo, valdría la pena de distinguir entre las dos filialidades.

Sororidad fue la de la admirable Antígona, esta santa del paganismo helénico, la hija de Edipo, que sufrió martirio por amor a su hermano Polinices, y por confesar su fe de que las leyes eternas de la conciencia, las que rigen en el eterno mundo de los muertos, en el mundo de la inmortalidad, no son las que forman los déspotas y tiranos de la tierra, como era Creonte.

Cuando en la tragedia sofocleana Creonte le acusa a su sobrina Antígona de haber faltado a la ley, al mandato regio, rindiendo servicio fúnebre a su hermano, el fratricida, hay entre aquéllos este duelo de palabras:

«ANTÍGONA.—No es nada feo honrar a los de la misma entraña...

»CREONTE.—¿No era de su sangre también el que murió contra él?

»A.—De la misma, por madre y padre...

»C.—¿Y cómo rindes a éste un honor impío?

»A.—No diría eso el muerto...

»C.—Pero es que le honras igual que al impío.

»A.—No murió su siervo, sino mi hermano...

»C.—Asolando esta tierra, y el otro defendiéndola...

»A.—El otro mundo, sin embargo, gusta de igualdad ante la ley...

46

»C.—*¿Cómo ha de ser igual para el vil que para el noble?*

»A.—*Quién sabe si estas máximas son santas allí abajo...*»

(*Antígona*, versos 511-521.)

¿Es que acaso lo que a Antígona le permitió descubrir esa ley eterna, apareciendo a los ojos de los ciudadanos de Tebas y de Creonte, su tío, como una anarquista, no fue el que era, por terrible decreto del Hado, hermana carnal de su propio padre, Edipo? Con el que había ejercido oficio de sororidad *también.*

El acto sororio *de Antígona dando tierra al cadáver insepulto de su hermano y librándolo así del furor regio de su tío Creonte, parecióle a éste un acto de anarquista.* «¡No hay mal mayor que el de la anarquía!» —*declaraba el tirano*—. (Antígona, verso 672.) *¿Anarquía? ¿Civilización?*

Antígona, la anarquista, según su tío, el tirano Creonte, modelo de virilidad, pero no de humanidad; Antígona, hermana de su padre Edipo, y, por lo tanto, tía de su hermano Polinices, representa acaso la domesticidad religiosa, la religión doméstica, la del hogar, frente a la civilidad política y tiránica, a la tiranía civil, y acaso también la domesticación frente a la civilización. Aunque ¿es posible civilizarse sin haberse domesticado antes? ¿Caben civilidad y civilización donde no tienen como cimientos domesticidad y domesticación?

Hablamos de patrias *y sobre ellas de fraternidad universal, pero no es una sutileza lingüística el sostener que no pueden prosperar sino sobre* matrias *y sororidad. Y habrá barbarie de guerras devastadoras, y otros estragos, mientras sean los zánganos, que revolotean en torno de la reina para fecundarla y devorar la miel que no hicieron, los que rijan las colmenas.*

¿Guerras? El primer acto guerrero fue, según lo que llamamos Historia Sagrada, la de la Biblia, el asesinato de Abel por su hermano Caín. Fue una muerte fraternal, entre hermanos; el primer acto de fraternidad. Y dice el Génesis que fue Caín, el fratricida, el que primero edificó una ciudad, a la que llamó el nombre de su hijo —habido en una hermana— Henoc (Gén., IV, 17). Y en aquella ciudad, polis, debió empezar la vida civil, política, la civilidad y la civilización. Obra, como se ve, del fratricida. Y cuando, siglos más tarde, nuestro Lucano, español, llamó a las guerras entre César y Pompeyo plusquam civilia, más que civiles —lo dice en el primer verso de su Pharsalia— quiere decir fraternales. Las guerras más que civiles son fraternales.

Aristóteles le llamó al hombre zoón politicón, esto es, animal civil o ciudadano —no político, que esto es no traducir— animal que tiende a vivir en ciudades, en mazorcas de casas estadizas, arraigadas en tierra por cimientos, y ése es el hombre y, sobre todo, el varón. Animal civil, urbano, fraternal y… fratricida. Pero ese animal civil, ¿no ha de depurarse por acción doméstica? Y el hogar, el verdadero hogar, ¿no ha de encontrarse lo mismo en la tienda del pastor errante que se planta al azar de los caminos? Y Antígona acompañó a su padre, ciego y errante, por los senderos del desierto, hasta que desapareció en Colona. ¡Pobre civilidad fraternal, cainita si no hubiera la domesticidad sororia!…

Va, pues, el fundamento de la civilidad, la domesticidad, de mano en mano, de hermanas, de tías. O de esposas de espíritu, castísimas, como aquella Abisag, la sulamita de que se nos habla en el capítulo I del libro I de los Reyes, aquella doncella que le llevaron al viejo rey David, ya cercano a su muerte, para que le mantuviese en la puesta de su vida, abrigándole y calentándole en la cama mientras dormía. Y Abisag le sacrificó su maternidad, permaneció virgen por él —pues David no la conoció—

y fue causa de que más luego Salomón, hijo del pecado de David con la adúltera Betsabé, hiciese matar a Adonías, su hermanastro, hijo de David y de Hagit, porque pretendió para mujer a Abisag, la última reina con David, pensando así heredar a éste su reino.

Pero a esta Abisag y a su suerte y a su sentido pensamos dedicar todo un libro que no será precisamente una novela. Ni una nivola.

Y ahora el lector que ha leído este Prólogo —que no es necesario para inteligencia en lo que sigue— puede pasar a hacer conocimiento con la tía Tula, que si supo de Santa Teresa y de Don Quijote, acaso no supo ni de Antígona la griega, ni de Abisag la israelita.

En mi novela Abel Sánchez intenté escarbar en ciertos sótanos y escondrijos del corazón, en ciertas catacumbas del alma, adonde no gustan descender los más de los mortales. Creen que en esas catacumbas hay muertos, a los que lo mejor es no visitar, y esos muertos, sin embargo, nos gobiernan. Es la herencia de Caín. Y aquí, en esta novela, he intentado escarbar en otros sótanos y escondrijos. Y como no ha faltado quien me haya dicho que aquello era inhumano, no faltará quien me lo diga, aunque en otro sentido, de esto. Aquello pareció a alguien inhumano por viril, por fraternal; esto lo parecerá acaso, por femenil, por sororio. Sin que quepa negar que el varón hereda femenidad de su madre, y la mujer virilidad de su padre. ¿O es que el zángano no tiene algo de abeja, y la abeja algo de zángano? O hay, si se quiere, abejos y zánganas.

Y nada más, que no debo hacer una novela sobre otra novela.

En Salamanca, ciudad, en el día de los Desposorios de Nuestra Señora, del año de gracia milésimo novecentésimo y vigésimo.

I

Era a Rosa y no a su hermana Gertrudis, que siempre
salía de casa con ella, a quien ceñían aquellas ansiosas
miradas que les enderezaba Ramiro. O, por lo menos, así
lo creían ambos, Ramiro y Rosa, al atraerse el uno al otro.

Formaban las dos hermanas, siempre juntas, aunque
no por eso unidas siempre, una pareja al parecer indiso-
luble, y como un solo valor. Era la hermosura espléndida
y algún tanto provocativa de Rosa, flor de carne que se
abría a flor del cielo a toda luz y todo viento, la que llevaba de primera vez las miradas a la pareja; pero eran
luego los ojos tenaces de Gertrudis los que sujetaban a los
ojos que se habían fijado en ellos y los que a la par les
ponían raya. Hubo quien al verlas pasar preparó algún
chicoleo un poco más subido de tono; mas tuvo que con-
tenerse al tropezar con el reproche de aquellos ojos de
Gertrudis, que hablaban mudamente de seriedad. «Con
esta pareja no se juega», parecía decir con sus miradas
silenciosas.

Y bien miradas y de cerca, aún despertaba más Gertrudis el ansia de goce. Mientras su hermana Rosa abría es-
pléndidamente a todo viento y a toda luz la flor de su
encarnadura, ella era como un cofre cerrado y sellado en
que se adivina un tesoro de ternuras y delicias secretas.

Pero Ramiro, que llevaba el alma toda a flor de los
ojos, no creyó ver más que a Rosa, y a Rosa se dirigió
desde luego.

—¿Sabes que me ha escrito? —le dijo ésta a su hermana.

—Sí, vi la carta.

—¿Cómo? ¿Que la viste? ¿Es que me espías?

—¿Podía dejar de haberla visto? No, yo no espío nunca, ya lo sabes, y has dicho eso no más que por decirlo...

—Tienes razón, Tula; perdónamelo.

—Sí, una vez más, porque tú eres así. Yo no espío, pero tampoco oculto nunca nada. Vi la carta.

—Ya lo sé; ya lo sé...

—He visto la carta y la esperaba.

—Y bien; ¿qué te parece de Ramiro?

—No le conozco.

—Pero no hace falta conocer a un hombre para decir lo que le parece a una de él.

—A mí, sí.

—Pero lo que se ve, lo que está a la vista...

—Ni de eso puedo juzgar sin conocerle.

—¿Es que no tienes ojos en la cara?

—Acaso no los tenga así...; ya sabes que soy corta de vista.

—¡Pretextos! Pues mira, chica, es un guapo mozo.

—Así parece.

—Y simpático.

—Con que te lo sea a ti, basta.

—Pero ¿es que crees que le he dicho ya que sí?

—Sé que se lo dirás, al cabo, y basta.

—No importa; hay que hacerle esperar y hasta rabiar un poco...

—¿Para qué?

—Hay que hacerse valer.

—Así no te haces valer, Rosa; y ese coqueteo es cosa muy fea.

—De modo que tú...

—A mí no se me ha dirigido.

—¿Y si se hubiera dirigido a ti?

—No sirve preguntar cosas sin sustancia.

—Pero tú, si a ti se te dirige, ¿qué le habrías contestado?

—Yo no he dicho que me parece un guapo mozo y que es simpático, y por eso me habría puesto a estudiarlo...

—Y entre tanto si iba otra...

—Es lo más probable.

—Pues así, hija, ya puedes prepararte.

—Sí, a ser tía.

—¿Cómo tía?

—Tía de tus hijos, Rosa.

—¡Eh, qué cosas tienes! —y se le quebró la voz.

—Vamos, Rosita, no te pongas así y perdóname —le dijo dándole un beso.

—Pero si vuelves...

—¡No, no volveré!

—Y bien, ¿qué le digo?

—¡Dile que sí!

—Pero pensará que soy demasiado fácil...

—¡Entonces dile que no!

—Pero es que...

—Sí, que te parece un guapo mozo y simpático. Dile, pues, que sí, y no andes con más coqueterías, que eso es feo. Dile que sí. Después de todo, no es fácil que se te presente mejor partido. Ramiro está muy bien, es hijo solo...

—Yo no he hablado de eso.

—Pero yo hablo de ello, Rosa, y es igual.

—¿Y no dirán, Tula, que tengo ganas de novio?

—Y dirán bien.

—¿Otra vez, Tula?

—Y ciento. Tienes ganas de novio y es natural que las tengas. ¿Para qué si no te hizo Dios tan guapa?

—¡Guasitas, no!

—Ya sabes que yo no me guaseo. Parézcanos bien o mal, nuestra carrera es el matrimonio o el convento; tú no tienes vocación de monja; Dios te hizo para el mundo y el hogar; vamos, para madre de familia... No vas a quedarte a vestir imágenes. Dile, pues, que sí.

—¿Y tú?

—¿Cómo yo?

—Que tú, luego...

—A mí déjame.

Al día siguiente de estas palabras estaban ya en lo que se llaman relaciones amorosas Rosa y Ramiro.

Lo que empezó a cuajar la soledad de Gertrudis.

Vivían las dos hermanas, huérfanas de padre y madre desde muy niñas, con un tío materno, sacerdote, que no las mantenía, pues ellas disfrutaban de un pequeño patrimonio que les permitía sostenerse en la holgura de la modestia, pero las daba buenos consejos a la hora de comer, en la mesa, dejándolas, por lo demás, a la guía de su buen natural. Los buenos consejos eran consejos de libros, los mismos que le servían a don Primitivo para formar sus escasos sermones.

«Además —se decía a sí mismo con muy buen acierto don Primitivo—, ¿para qué me voy a meter en sus inclinaciones y sentimientos íntimos? Lo mejor es no hablarlas mucho de eso, que se les abre demasiado los ojos. Aunque... ¿abrirles? ¡Bah!, bien abiertos los tienen, sobre todo las mujeres. Nosotros los hombres no sabemos una palabra de esas cosas. Y los curas, menos. Todo lo que nos dicen los libros son pataratas. ¡Y luego, me mete un miedo esa Tulilla!... Delante de ella no me atrevo..., no me atrevo... ¡Tiene unas preguntas la mocita! Y cuando me mira tan seria, tan seria..., con esos ojazos tristes —los de mi hermana, los de mi madre, ¡Dios las tenga en su santa gloria!—. ¡Esos ojazos de luto que se le meten a uno en el corazón!... Muy serios, sí, pero riéndose con el rabillo. Parecen decirme: '¡No diga usted más bobadas, tío!' ¡El demonio de la chiquilla! ¡Todavía me acuerdo el día en que se me empeñó en ir, con su hermana, a oírme aquel sermoncete; el rato que pasé, Jesús Santo! ¡Todo se me volvía apartar mis ojos de ella por no cortarme; pero nada, ella tirando de los míos! Lo mismo, lo mismito me pasaba con su santa madre mi hermana, y con mi santa madre, Dios las tenga en su gloria. Jamás pude predicar a mis anchas delante de ellas, y por eso les tenía dicho que no fuesen a oírme. Mi madre iba, pero iba a hurtadillas, sin decírmelo, y se ponía detrás de la columna, donde yo no le viera, y luego no me decía nada de mi sermón. Y lo mismo hacía mi hermana. Pero yo sé lo que ésta pensaba, aunque tan cristiana, lo sé. '¡Bobadas de hombres!' Y lo mismo piensa esta mocita, estoy de ello seguro. No, no, ¿delante de ella predicar? ¿Yo? ¿Darles consejos? Una vez se le escapó lo de '¡bobadas de hombres!', y no dirigiéndose a mí, no; pero yo la entiendo...»

El pobre señor sentía un profundísimo respeto, mezclado de admiración, por su sobrina Gertrudis. Tenía el sentimiento de que la sabiduría iba en su linaje por vía femenina, que su madre había sido la providencia inteligente de la casa en que se crió, que su hermana lo había sido en la suya, tan breve. Y en cuanto a su otra sobrina, a Rosa, le bastaba para protección y guía con su hermana. «Pero qué hermosa la ha hecho Dios, Dios sea alabado —se decía—; esta chica o hace un gran matrimonio con quien ella quiera o no tienen los mozos de hoy ojos en la cara.»

Y un día fue Gertrudis la que, después que Rosa se levantó de la mesa fingiendo sentirse algo indispuesta, al quedarse a solas con su tío, le dijo:

—Tengo que decirle a usted, tío, una cosa muy grave.

—Muy grave..., muy grave... —el pobre señor se azaró, creyendo observar que los rabillos de los ojazos tan serios de su sobrina se reían maliciosamente.

—Sí, muy grave.

—Bueno, pues desembucha, hija, que aquí estamos los dos para tomar un consejo.

—El caso es que Rosa tiene ya novio.

—Y ¿no es más que eso?

—Pero novio formal, ¿eh?, tío.

—Vamos, sí, para que yo los case.

—¡Naturalmente!

—Y a ti, ¿qué te parece de él?

—Aún no ha preguntado usted quién es...

—¿Y qué más da, si yo apenas conozco a nadie? A ti, ¿qué te parece de él?, contesta.

—Pues tampoco yo le conozco.

—Pero ¿no sabes quién es, tú?

—Sí, sé cómo se llama y de qué familia es y...

—¡Basta! ¿Qué te parece?

—Que es un buen partido para Rosa y que se querrán.

—Pero ¿es que no se quieren ya?

—Pero ¿cree usted, tío, que pueden empezar queriéndose?

—Pues así dicen, chiquilla, y hasta que eso viene como un rayo...

—Son decires, tío.

—Así será; basta que tú lo digas.

—Ramiro..., Ramiro Cuadrado...

—Pero ¿es el hijo de doña Venancia, la viuda? ¡Acabáramos! No hay más que hablar.

—A Ramiro, tío, se le ha metido Rosa por los ojos y cree estar enamorado de ella...

—Y lo estará, Tulilla, lo estará...

—Eso digo yo, tío, que lo estará. Porque como es hombre de vergüenza y de palabra, acabará por cobrar cariño a aquella con la que se ha comprometido ya. No le creo hombre de volver atrás.

—¿Y ella?

—¿Quién? ¿Mi hermana? A ella le pasará lo mismo.

—Sabes más que San Agustín, hija.

—Esto no se aprende, tío.

—¡Pues que se casen, los bendigo y sanseacabó!

—¡O sanseempezó! Pero hay que casarlos y pronto. Antes que él se vuelva...

—Pero ¿temes tú que él pueda volverse?...

—Yo siempre temo de los hombres, tío.

—¿Y de las mujeres no?

—Esos temores deben quedar para los hombres. Pero sin ánimo de ofender al sexo... fuerte, ¿no se dice así?, le digo que la constancia, que la fortaleza está más bien de parte nuestra...

—Si todas fueran como tú, chiquilla, lo creería así, pero...

—¿Pero qué?

—¡Que tú eres excepcional, Tulilla!

—Le he oído a usted más de una vez, tío, que las excepciones confirman la regla.

—Vamos, que me aturdes... Pues bien, los casaremos, no sea que se vuelva él... o ella...

Por los ojos de Gertrudis pasó como la sombra de una nube de borrasca, y si se hubiera podido oír el silencio, habríase oído que en las bóvedas de los sótanos de su alma resonaba como eco repetido y que va perdiéndose a lo lejos aquello de «o ella...».

II

Pero ¿qué le pasa a Ramiro, en relaciones ya, y en relaciones formales, con Rosa, y poco menos que entrando en la casa? ¿Qué dilaciones y qué frialdades eran aquéllas?

—Mira, Tula, yo no le entiendo; cada vez le entiendo menos. Parece que está siempre distraído y como si estuviese pensando en otra cosa —o en otra persona, ¡quién sabe!— o temiendo que alguien nos vaya a sorprender de pronto. Y cuando le tiro algún avance y le hablo, así como quien no quiere la cosa, del fin que deben tener nuestras relaciones, hace como que no oye y como si estuviera atendiendo a otra...

—Es porque le hablas como quien no quiere la cosa. Háblale como quien la quiere.

—¡Eso es, y que piense que tengo prisa por casarme!

—¡Pues que lo piense! ¿No es acaso así?

—Pero ¿crees tú, Tula que yo estoy rabiando por casarme?

—¿Le quieres?

—Eso nada tiene que ver...

—¿Le quieres, di?

—Pues mira...

—¡Pues mira, no! ¿Le quieres? ¡Sí o no!

Rosa bajó la frente con los ojos, arrebolóse toda y, llorándole la voz, tartamudeó:

—Tienes unas cosas, Tula; ¡pareces un confesor!

Gertrudis tomó la mano de su hermana, con otra le hizo levantar la frente, le clavó los ojos en los ojos y le dijo:

—Vivimos solas, hermana...

—¿Y el tío?

—Vivimos solas, te he dicho. Las mujeres vivimos siempre solas. El pobre tío es un santo, pero un santo de libro, y aunque cura, al fin y al cabo hombre.

—Pero confiesa...

—Acaso por eso sabe menos. Además, se le olvida. Y así debe ser. Vivimos solas, te he dicho. Y ahora lo que debes hacer es confesarte aquí, pero confesarte a ti misma. ¿Le quieres?, repito.

La pobre Rosa se echó a llorar.

—¿Le quieres? —sonó la voz implacable.

Y Rosa llegó a fingirse que aquella pregunta, en una voz pastosa y solemne, y que parecía venir de las lontananzas de la vida común de la pureza, era su propia voz, era acaso la de su madre común.

—Sí; creo que le querré... mucho... mucho —exclamó en voz baja y sollozando.

—¡Sí; le querrás mucho y él te querrá más aún!

—¿Y cómo lo sabes?

—Yo sé que te querrá.

—Entonces, ¿por qué está distraído?, ¿por qué rehúye el que abordemos lo del casorio?

—¡Yo le hablaré de eso, Rosa; déjalo de mi cuenta!

—¿Tú?

—¡Yo, sí! ¿Tiene algo de extraño?

—Pero...

—A mí no puede cohibirme el temor que a ti te cohíbe.

—Pero dirá que rabio por casarme.

—¡No, no dirá eso! Dirá, si quiere, que es a mí a quien me conviene que tú te cases para facilitar así el que se me pretenda o para quedarme a mandar aquí sola;

y las dos cosas son, como sabes, dos disparates. Dirá lo que quiera, pero yo me las arreglaré.

Rosa cayó en brazos de su hermana, que le dijo al oído:

—Y luego, tienes que quererle mucho, ¿eh?

—¿Y por qué me dices tú eso, Tula?

—Porque es tu deber.

Y al otro día, al ir Ramiro a visitar a su novia, encontróse con la otra, con la hermana. Demudósele el semblante y se le vio vacilar. La seriedad de aquellos serenos ojazos de luto le concentró la sangre toda en el corazón.

—¿Y Rosa? —preguntó sin oírse.

—Rosa ha salido y soy yo quien tengo ahora que hablarte.

—¿Tú? —dijo con labios que le temblaban.

—¡Sí, yo!

—¡Grave te pones, chica! —y se esforzó en reírse.

—Nací con esa gravedad encima, dicen. El tío asegura que la heredé de mi madre, su hermana, y de mi abuela, su madre. No lo sé, ni me importa. Lo que sí sé es que me gustan las cosas sencillas y derechas y sin engaño.

—¿Por qué lo dices, Tula?

—¿Y por qué rehúyes hablar de vuestro casamiento a mi hermana? Vamos, dímelo, ¿por qué?

El pobre mozo inclinó la frente arrebolada de vergüenza. Sentíase herido por un golpe inesperado.

—Tú le pediste relaciones con buen fin, como dicen los inocentes.

—¡Tula!

—¡Nada de Tula! Tú te pusiste con ella en relaciones para hacerla tu mujer y madre de tus hijos...

—¡Pero qué de prisa vas!... —y volvió a esforzarse a reírse.

—Es que hay que ir de prisa, porque la vida es corta.

—¡La vida es corta!, ¡y lo dice a los veintidós años!

—Más corta aún. Pues bien, ¿piensas casarte con Rosa, sí o no?

—¡Pues qué duda cabe! —y al decirlo le temblaba el cuerpo todo.

—Pues si piensas casarte con ella, ¿por qué diferirlo así?

—Somos aún jóvenes...

—¡Mejor!

—Tenemos que probarnos...

—¿Qué, qué es eso?, ¿qué es eso de probarnos? ¿Crees que la conocerás mejor dentro de un año? Peor, mucho peor...

—Y si luego...

—¡No pensaste en eso al pedirla antes de entrar aquí!

—Pero, Tula...

—¡Nada de Tula! ¿La quieres, sí o no?

—¿Puedes dudarlo, Tula?

—¡Te he dicho que nada de Tula! ¿La quieres?

—¡Claro que la quiero!

—Pues la querrás más todavía. Será una buena mujer para ti. Haréis un buen matrimonio.

—Y con tu consejo...

—Nada de consejo. ¡Yo haré una buena tía, y basta!

Ramiro pareció luchar un breve rato consigo mismo y como si buscase algo, y al cabo, con un gesto de desesperada resolución, exclamó:

—¡Pues bien, Gertrudis, quiero decirte toda la verdad!

—No tienes que decirme más verdad —le atajó severamente—; me has dicho que quieres a Rosa y que estás resuelto a casarte con ella; todo lo demás de la verdad es a ella a quien se lo tienes que decir luego que os caséis.

—Pero hay cosas...

—No, no hay cosas que no se deban decir a la mujer...

—¡Pero, Tula!

—Nada de Tula, te he dicho. Si la quieres, a casarte con ella, y si no la quieres, estás de más en esta casa.

Estas palabras le brotaron de los labios fríos y mientras se le paraba el corazón. Siguió a ellas un silencio de hielo; durante él la sangre, antes represada y ahora suelta, le encendió la cara a la hermana. Y entonces, en el silencio agorero, podía oírsele el galope trepidante del corazón.

Al siguiente día se fijaba el de la boda.

III

Don Primitivo autorizó y bendijo la boda de Ramiro con Rosa. Y nadie estuvo en ella más alegre que lo estuvo Gertrudis. A tal punto, que su alegría sorprendió a cuantos la conocían, sin que faltara quien creyese que tenía muy poco de natural.

Fuéronse a su casa los recién casados y Rosa reclamaba a ella de continuo la presencia de su hermana. Gertrudis le replicaba que a los novios les convenía la soledad.

—Pero si es al contrario, hija, si nunca he sentido más tu falta; ahora es cuando comprendo lo que te quería.

Y poníase a abrazarla y besuquearla.

—Sí, sí —le replicaba Gertrudis sonriendo gravemente—; vuestra felicidad necesita de testigos; se os acrecienta la dicha sabiendo que otros se dan cuenta de ella.

Íbase, pues, de cuando en cuando a hacerles compañía; a comer con ellos alguna vez. Su hermana le hacía las más ostentosas demostraciones de cariño, y luego a su marido, que, por otra parte, parecía como avergonzado ante su cuñada.

—Mira —llegó a decirle una vez Gertrudis a su hermana ante aquellas señales—, no te pongas así, tan babosa. No parece sino que has inventado lo del matrimonio.

Un día vio un perrito en la casa.

—Y esto ¿qué es?

—Un perro, chica, ¿no lo ves?

—¿Y cómo ha venido?

—Lo encontré ahí, en la calle, abandonado y medio muerto; me dio lástima, le traje, le di de comer, le curé y aquí le tengo —y lo acariciaba en su regazo y le daba besos en el hocico.

—Pues mira, Rosa, me parece que debes regalar el perrito, porque el que le mates me parece una crueldad.

—¿Regalarle? Y ¿por qué? Mira, Tití —y al decirlo apechugaba contra su seno al animalito—, me dicen que te eche. ¿Adónde irás tú, pobrecito?

—Vamos, vamos, no seas chiquilla y no lo tomes así. ¿A que tu marido es de mi opinión?

—¡Claro, en cuanto se lo digas! Como tú eres la sabia...

—Déjate de esas cosas y deja el perro.

—Pero ¿qué? ¿Crees que tendrá Ramiro celos?

—Nunca creí, Rosa, que el matrimonio pudiera entontecer así.

Cuando llegó Ramiro y se enteró de la pequeña disputa por lo del perro, no se atrevió a dar la razón ni a la una ni a la otra, declarando que la cosa no tenía importancia.

—No, nada la tiene, y la tiene todo, según —dijo Gertrudis—. Pero en eso hay algo de chiquillada, y aún más. Serás capaz, Rosa, de haberte traído aquella pepona que guardas desde que nos dieron dos, una a ti y a mí otra, siendo niñas, y serás capaz de haberla puesto ocupando su silla...

—Exacto; allí está, en la sala, con su mejor traje, ocupando toda una silla de respeto. ¿La quieres ver?

—Así es —asintió Ramiro.

—Bueno, ya la quitarás de allí...

—Quia, hija, la guardaré...

—Sí, para juguete de tus hijas...

—¡Qué cosas se te ocurren, Tula!... —y se arreboló.

—No; es a ti a quien se te ocurren cosas como la del perro.

—Y tú —exclamó Rosa, tratando de desasirse de aquella inquisitoria que le molestaba—, ¿no tienes también tu pepona? ¿La has dado, o deshecho, acaso?

—No —respondióle resueltamente su hermana—; pero la tengo guardada.

—¡Y tan guardada que no se la he podido descubrir nunca!...

—Es que Gertrudis la guarda para sí sola —dijo Ramiro sin saber lo que decía.

—Dios sabe para qué la guardo. Es un talismán de mi niñez.

El que iba poco, poquísimo, por casa del nuevo matrimonio era el bueno de don Primitivo. «El onceno no estorbar», decía.

Corrían los días, todos iguales, en una y otra casa. Gertrudis se había propuesto visitar lo menos posible a su hermana, pero ésta venía a buscarla en cuanto pasaba un par de días sin que se viesen.

—¿Pero qué, estás mala, chica? ¿O te sigue estorbando el perro? Porque si es así, mira, lo echaré. ¿Por qué me dejas así, sola?

—¿Sola, Rosa? ¿Sola? ¿Y tu marido?

—Pero él tiene que ir a sus asuntos...

—O los inventa...

—¿Qué, es que crees que me deja aposta? ¿Es que sabes algo? ¡Dilo, Tula, por lo que más quieras; por nuestra madre, dímelo!

—No; es que os aburrís de vuestra felicidad y de vuestra soledad. Ya le echarás el perro, o si no te darán antojos, y será peor.

—No digas esas cosas.

—Te darán antojos —replicó con más firmeza.

Y cuando al fin fue un día a decirle que había regalado el perrito, Gertrudis, sonriendo gravemente y acariciándola como a una niña, le preguntó al oído: «¿Por miedo a los antojos, eh?» Y al oír en respuesta un susurrado «¡sí!», abrazó a su hermana con una efusión de que ésta no la creía capaz.

—Ahora va de veras, Rosa; ahora no os aburriréis de la felicidad ni de la soledad, y tendrá varios asuntos tu marido. Esto era lo que os faltaba...

—Y acaso lo que te faltaba... ¿No es así, hermanita?

—¿Y a ti quién te ha dicho eso?

—Mira, aunque soy tan tonta, como he vivido siempre contigo...

—¡Bueno, déjate de bromas!

Y, desde entonces, empezó Gertrudis a frecuentar más la casa de su hermana.

IV

En el parto de Rosa, que fue durísimo, nadie estuvo más serena y valerosa que Gertrudis. Creeríase que era una veterana en asistir a tales trances. Llegó a haber peligro de muerte para la madre o la cría que hubiera de salir, y el médico llegó a hablar de sacársela viva o muerta.

—¿Muerta? —exclamó Gertrudis—; ¡eso sí que no!

—¿Pero no ve usted —exclamó el médico— que aunque se muera el crío queda la madre para hacer otros, mientras que si se muere ella no es lo mismo?

Pasó rápidamente por el magín de Gertrudis replicarle que quedaban otras madres, pero se contuvo e insistió:

—Muerta..., ¡no!, ¡nunca! Y hay, además, que salvar un alma.

La pobre parturienta ni se enteraba de cosa alguna. Hasta que, rendida al combate, dio a luz un niño.

Recogiólo Gertrudis con avidez y, como si nunca hubiera hecho otra cosa, lo lavó y lo envolvió en sus pañales.

—Es usted comadrona de nacimiento —le dijo el médico.

Tomó la criaturita y se la llevó a su padre, que en un rincón, aterrado y como contrito de una falta, aguardaba la noticia de la muerte de su mujer.

—¡Aquí tienes tu primer hijo, Ramiro; mírale qué hermoso!

Pero al levantar la vista el padre, libre del peso de su angustia, no vio sino los ojazos de su cuñada, que irradiaban una luz nueva, más negra, pero más brillante que la de antes. Y al ir a besar aquel rollo de carne que le presentaban como su hijo, rozó su mejilla, encendida, con la de Gertrudis.

—Ahora —le dijo tranquilamente ésta— ve a dar las gracias a tu mujer, a pedirle perdón y a animarla.

—¿A pedirle perdón?

—Sí, a pedirle perdón.

—¿Y por qué?

—Yo me entiendo y ella te entenderá. Y en cuanto a éste —y al decirlo apretábalo contra su seno palpitante— corre ya de mi cuenta, y o poco he de poder o haré de él un hombre.

La casa le daba vueltas en derredor a Ramiro. Y del fondo de su alma salíale una voz diciendo: «¿Cuál es la madre?»

Poco después ponía Gertrudis cuidadosamente el niño al lado de la madre, que parecía dormir extenuada y con la cara blanca como la nieve. Pero Rosa entreabrió los ojos y se encontró con los de su hermana. Al ver a ésta, una corriente de ánimo recorrió el cuerpo todo victorioso de la nueva madre.

—¡Tula! —gimió.

—Aquí estoy, Rosa; aquí estaré. Ahora descansa. Cuando sea le das de mamar a este crío para que se calle. De todo lo demás no te preocupes.

—Creí morirme, Tula. Aun ahora me parece que sueño muerta. Y me daba tanta pena de Ramiro...

—Cállate. El médico ha dicho que no hables mucho. El pobre Ramiro estaba más muerto que tú. ¡Ahora ánimo, y a otra!

La enferma sonrió tristemente.

—Éste se llamará Ramiro, como su padre —decretó

luego Gertrudis en pequeño consejo de familia—, y la otra, porque la siguiente será niña, Gertrudis como yo.

—¿Pero ya estás pensando en otra —exclamó don Primitivo— y tu pobre hermana de por poco se queda en el trance?

—¿Y qué hacer? —replicó ella—; ¿para qué se han casado, si no? ¿No es así, Ramiro? —y le clavó los ojos.

—Ahora lo que importa es que se reponga —dijo el marido sobrecogiéndose bajo aquella mirada.

—¡Bah!, de estas dolencias se repone una mujer pronto.

—Bien dice el médico, sobrina, que parece como si hubieras nacido comadrona.

—Toda mujer nace madre, tío.

Y lo dijo con tan íntima solemnidad casera, que Ramiro se sintió presa de un indefinible desasosiego y de un extraño remordimiento. «¿Querré yo a mi mujer como se merece?» —se decía.

—Y ahora, Ramiro —le dijo su cuñada—, ya puedes decir que tienes mujer.

Y a partir de entonces no faltó Gertrudis un solo día de casa de su hermana. Ella era quien desnudaba, vestía y cuidaba al niño hasta que su madre pudiera hacerlo.

La cual se repuso muy pronto y su hermosura se redondeó más. A la vez extremó sus ternuras para con su marido y aun llegó a culparle de que se le mostraba esquivo.

—Temí por tu vida —le dijo el marido— y estaba aterrado. Aterrado y desesperado y lleno de remordimiento.

—Remordimiento, ¿por qué?

—¡Si llegas a morirte me pego un tiro!

—¡Quia!, a ¿qué? «Cosas de hombres», que diría Tula. Pero eso ya pasó y ya sé lo que es.

—¿Y no has quedado escarmentada, Rosa?

—¿Escarmentada? —y cogiendo a su marido, echándole los brazos al cuello, apechugándole fuertemente a sí, le dijo al oído con un aliento que se lo quemaba—: ¡A otra, Ramiro, a otra! ¡Ahora sí que te quiero! ¡Y aunque me mates!

Gertrudis en tanto arrollaba al niño, celosa de que no se percatase —¡inocente!— de los ardores de sus padres.

Era como una preocupación en la tía la de ir sustrayendo al niño, ya desde su más tierna edad de inconsciencia, de conocer, ni en las más leves y remotas señales, el amor de que había brotado. Colgóle al cuello, desde luego, una medalla de la Santísima Virgen; de la Virgen Madre, con su Niño en brazos.

Con frecuencia, cuando veía que su hermana, la madre, se impacientaba en acallar al niño o en envolverlo en sus pañales, le decía:

—Dámelo, Rosa, dámelo, y vete a entretener a tu marido.

—Sí, tú tienes que atender a los dos, y yo sólo a éste.

—Tienes, Tula, una manera de decir las cosas...

—No seas niña, ¡ea!, que eres ya toda una señora mamá. Y da gracias a Dios que podamos así repartirnos el trabajo.

—Tula... Tula...

—Ramiro... Ramiro... Rosa.

La madre se amoscaba, pero iba a su marido.

Y así pasaba el tiempo y llegó otra cría: una niña.

V

A poco de nacer la niña encontraron un día muerto al bueno de don Primitivo. Gertrudis le amortajó después de haberle lavado —quería que fuese limpio a la tumba— con el mismo esmero con que había envuelto en pañales a sus sobrinos recién nacidos. Y a solas en el cuarto con el cuerpo del buen anciano, le lloró como no se creyera capaz de hacerlo. «Nunca habría creído que le quisiera tanto —se dijo—; era un bendito; de poco llega a hacerme creer que soy un pozo de prudencia; ¡era tan sencillo!»

—Fue nuestro padre —le dijo a su hermana— y jamás le oímos una palabra más alta que la otra.

—¡Claro! —exclamó Rosa—; como que siempre nos dejó hacer nuestra santísima voluntad.

—Porque sabía, Rosa, que su sola presencia santificaba nuestra voluntad. Fue nuestro padre; él nos educó. Y para educarnos le bastó la transparencia de su vida, tan sencilla, tan clara...

—Es verdad, sí —dijo Rosa, con los ojos henchidos de lágrimas—; como sencillo, no he conocido otro.

—Nos habría sido imposible, hermana, habernos criado en un hogar más limpio que éste.

—¿Qué quieres decir con eso, Tula?

—Él nos llenó la vida casi silenciosamente, sin decirnos palabra, con el culto de la Santísima Virgen Madre, y con el culto también de nuestra madre, su hermana, y de nuestra abuela, su madre. ¿Te acuerdas cuando por las noches nos hacía rezar el rosario, cómo le cambiaba la voz al llegar a aquel padrenuestro y avemaría por el eterno descanso del alma de nuestra madre, y luego aquellos otros por el de su madre, nuestra abuela, a las que no conocimos? En aquel rosario nos daba madre y en aquel rosario te enseñó a serlo.

—¡Y a ti, Tula, a ti! —exclamó entre sollozos Rosa.

—¿A mí?

—¡A ti, sí, a ti! ¿Quién, si no, es la verdadera madre de mis hijos?

—Deja ahora eso. Y ahí le tienes, un santo silencioso. Me han dicho que las pobres beatas lloraban algunas veces al oírle predicar sin percibir ni una sola de sus palabras. Y lo comprendo. Su voz sola era un consejo de serenidad amorosa. ¡Y ahora, Rosa, el rosario!

Arrodilláronse las dos hermanas al pie del lecho mortuorio de su tío y rezaron el mismo rosario que con él habían rezado tantos años, con dos padrenuestros y avemarías por el eterno descanso de las almas de su madre y de la del que yacía allí muerto, a que añadieron otro padrenuestro y otra avemaría por el alma del recién bienaventurado. Y las lenguas del manso y dulce fuego de los cirios que ardían a un lado y otro del cadáver, haciendo brillar su frente, tan blanca como la cera de ellos, parecían, vibrando al compás del rezo, acompañar en sus oraciones a las dos hermanas. Una paz entrañable irradiaba de aquella muerte. Levantáronse del suelo las dos hermanas, la pareja; besaron, primero Gertrudis y Rosa después, la frente cérea del anciano y abrazáronse luego con los ojos ya enjutos.

—Y ahora —le dijo Gertrudis a su hermana al oído— a querer mucho a tu marido, a hacerle dichoso y... ¡a darnos muchos hijos!

—Y ahora —le respondió Rosa— te vendrás a vivir con nosotros, por supuesto.

—¡No, eso no! —respondió súbitamente la otra.

—¿Cómo que no? Y lo dices de un modo...

—Sí, sí, hermana; perdóname la viveza, perdónamela, ¿me la perdonas? —e hizo mención, ante el cadáver, de volver a arrodillarse.

—Vaya, no te pongas así, Tula, que no es para tanto. Tienes unos prontos...

—Es verdad; pero me los perdonas, ¿no es verdad, Rosa?, me los perdonas.

—Eso ni se pregunta. Pero te vendrás con nosotros.

—No insistas, Rosa, no insistas...

—¿Qué? ¿No te vendrás? Dejarás a tus sobrinos, más bien tus hijos casi...

—Pero si no los he dejado un solo día...

—¿Te vendrás?

—Lo pensaré, Rosa, lo pensaré...

—Bueno, pues no insisto.

Pero a los pocos días insistió, y Gertrudis se defendía.

—No, no; no quiero estorbaros...

—¿Estorbarnos? ¿Qué dices, Tula?

—Los casados casa quieren.

—¿Y no puede ser la tuya también?

—No, no; aunque tú no lo creas, yo os quitaría libertad. ¿No es así, Ramiro?

—No, no; no veo... —balbuceó el marido, confuso, como casi siempre le ocurría ante la inesperada interpelación de su cuñada.

—Sí, Rosa; tu marido, aunque no lo dice, comprende que un matrimonio, y más un matrimonio joven como vosotros y en plena producción, necesita estar solo. Yo, la tía, vendré a mis horas a ir enseñando a vuestros hijos todo aquello en que no podáis ocuparos.

Y allá seguía yendo, a las veces desde muy temprano, encontrándose con el niño ya levantado, pero no así sus padres. «Cuando digo que hago yo aquí falta», se decía.

VI

Venía ya el tercer hijo del matrimonio; Rosa empezaba a quejarse de su fecundidad. «Vamos a cargarnos de hijos», decía. A lo que su hermana: «¿Pues para qué os habéis casado?»

El embarazo fue molestísimo para la madre, y tenía que descuidar más que antes a sus otros hijos, que así quedaban al cuidado de su tía, encantada de que se los dejasen. Y hasta consiguió llevárselos más de un día a su casa, a su solitario hogar de soltera, donde vivía con la criada que fue de don Primitivo, y donde los retenía. Y los pequeñuelos se apegaban con ciego cariño a aquella mujer severa y grave.

Ramiro, malhumorado antes en los últimos meses de los embarazos de su mujer, malhumor que desasosegaba a Gertrudis, ahora lo estaba más.

—¡Qué pesado y molesto es esto! —decía.

—¿Para ti? —le preguntaba su cuñada sin levantar los ojos del sobrino o sobrina que de seguro tenía en el regazo.

—Para mí, sí. Vivo en perpetuo sobresalto, temiéndolo todo.

—¡Bah! No será al fin nada. La Naturaleza es sabia.

—Pero tantas veces va el cántaro a la fuente...

—¡Ay, hijo, todo tiene sus riesgos y todo estado sus contrariedades!

Ramiro se sobrecogía al oírse llamar hijo por su cuñada, que rehuía darle su nombre, mientras él, en cambio, se complacía en llamarla por el familiar Tula.

—¡Qué bien has hecho en no casarte, Tula!

—¿De veras? —y levantando los ojos se los clavó en los suyos.

—De veras, sí. Todo son trabajos y aun peligros...

—¿Y sabes tú, acaso, si no me he de casar todavía?

—Claro. ¡Lo que es por la edad!

—¿Pues por qué ha de quedar?

—Como no te veo con afición a ello...

—¿Afición a casarse? ¿Qué es eso?

—Bueno; es que...

—Es que no me ves buscar novio, ¿no es eso?

—No, no es eso.

—Sí, eso es.

—Si tú los aceptaras, de seguro que no te habrían faltado...

—Pero yo no puedo buscarlos. No soy hombre, y la mujer tiene que esperar a ser elegida. Y yo, la verdad, me gusta elegir, pero no ser elegida.

—¿Qué es eso de que estáis hablando? —dijo Rosa acercándose y dejándose caer abatida en un sillón.

—Nada; discreteos de tu marido sobre las ventajas e inconvenientes del matrimonio.

—¡No hables de eso, Ramiro! Vosotros los hombres apenas sabéis de esto. Somos nosotras las que nos casamos, no vosotros.

—¡Pero, mujer!

—Anda, ven, sostenme, que apenas puedo tenerme en pie. Voy a echarme. Adiós, Tula. Ahí te los dejo.

Acercóse a ella su marido; le tomó del brazo con sus dos manos y se incorporó y levantó trabajosamente; luego, tendiéndole un brazo por el hombro, doblando su cabeza hasta casi darle en éste con ella, y cogiéndole con la otra mano, con la diestra de su diestra, se fue lentamente, así apoyada en él y gimoteando. Gertrudis, teniendo a cada uno de sus sobrinos en sus rodillas, se quedó mirando la marcha trabajosa de su hermana, colgada de su marido como una enredadera de su rodrigón. Llenáronsele los grandes ojazos, aquellos ojos de luto, serenamente graves, gravemente serenos, de lágrimas, y apretando a su seno a los dos pequeños, apretó sus mejillas a cada una de las de ellos. Y el pequeñito, Ramirín, al ver llorar a su tía, a tita Tula, se echó a llorar también.

—Vamos, no llores; vamos a jugar.

De este tercer parto quedó quebrantadísima Rosa.

—Tengo malos presentimientos, Tula.

—No hagas caso de agüeros.

—No es agüero; es que siento que se me va la vida; he quedado sin sangre.

—Ella volverá.

—Por de pronto, ya no puedo criar este niño. Y eso de las amas, Tula, ¡eso me aterra!

Y así era, en verdad. En pocos días cambiaron tres. El padre estaba furioso y hablaba de tratarlas a latigazos. Y la madre decaía.

—¡Esto se va! —pronunció un día el médico.

Ramiro vagaba por la casa como atontado, presa de extraños remordimientos y de furias súbitas. Una tarde llegó a decir a su cuñada:

—Pero es que esta Rosa no hace nada por vivir; se le ha metido en la cabeza que tiene que morirse y ¡es claro!, así se morirá. ¿Por qué no la animas y la convences a que viva?

—Eso tú, hijo; tú, su marido. Si tú no le infundes apetito de vivir, ¿quién va a infundírselo? Porque sí, no es lo peor lo débil y exangüe que está; lo peor es que no piensa sino en morirse. Ya ves, hasta los chicos la cansan pronto. Y apenas si pregunta por las cosas del alma.

Y era que la pobre Rosa vivía como en sueños, en un constante mareo, viéndolo todo como a través de una niebla.

Una tarde llamó a solas a su hermana y en frases entrecortadas, con un hilito de voz febril, le dijo cogiéndole la mano:

—Mira, Tula, yo me muero y me muero sin remedio. Ahí te dejo mis hijos, los pedazos de mi corazón, y ahí te dejo a Ramiro, que es como otro hijo. Créeme que es otro niño, un niño grande y antojadizo, pero bueno, más bueno que el pan. No me ha dado ni un solo disgusto. Ahí te los dejo, Tula.

—Descuida, Rosa; conozco mis deberes.

—Deberes..., deberes...

—Sí, sé mis amores. A tus hijos no les faltará madre mientras yo viva.

—Gracias, Tula, gracias. Eso quería de ti.

—Pues no lo dudes.

—¿Es decir que mis hijos, los míos, los pedazos de mi corazón, no tendrán madrastra?

—¿Qué quieres decir con eso, Rosa?

—Que como Ramiro volverá a pensar en casarse... es lo natural... tan joven... y yo sé que no podrá vivir sin mujer, lo sé..., pues que...

—¿Qué quieres decir?

—Que serás tú su mujer, Tula.

—Yo no te he dicho eso, Rosa, y ahora, en este momento, no puedo, ni por piedad, mentir. Yo no te he dicho que me casaré con tu marido si tú le faltas; yo te he dicho que a tus hijos no les faltará madre...

—No; tú me has dicho que no tendrán madrastra.

—¡Pues bien, sí, no tendrán madrastra!

—Y eso no puede ser sino casándote tú con mi Ramiro, y mira, no tengo celos, no. ¡Si ha de ser de otra, que sea tuyo! Que sea tuyo. Acaso...

—¿Y por qué ha de volver a casarse?

77

—¡Ay, Tula, tú no conoces a los hombres! Tú no conoces a mi marido...

—No, no le conozco.

—¡Pues yo sí!

—Quién sabe...

La pobre enferma se desvaneció.

Poco después llamaba a su marido. Y al salir éste del cuarto iba desencajado y pálido como un cadáver.

La muerte afilaba su guadaña en la piedra angular del hogar de Rosa y Ramiro, y mientras la vida de la joven madre se iba en rosario de gotas, destilando, había que andar a la busca de una nueva ama de cría para el pequeñito, que iba rindiéndose también de hambre. Y Gertrudis, dejando que su hermana se adormeciese en la cuna de una agonía lenta, no hacía sino agitarse en busca de un seno próvido para su sobrinito.

Procuraba irle engañando el hambre, sosteniéndole a biberón.

—¿Y esa ama?

—¡Hasta mañana no podrá venir, señorita!

—Mira, Tula —empezó Ramiro.

—¡Déjame! ¡Déjame! ¡Vete al lado de tu mujer, que se muere de un momento a otro; vete, que allí es tu puesto, y déjame con el niño!

—Pero, Tula...

—Déjame, te he dicho. Vete a verla morir; a que entre en la otra vida en tus brazos; ¡vete! ¡Déjame!

Ramiro se fue. Gertrudis tomó a su sobrinillo, que no hacía sino gemir, encerróse con él en un cuarto y sacando uno de sus pechos secos, uno de sus pechos de doncella, que arrebolado todo él le retemblaba como con fiebre, le retemblaba por los latidos del corazón —era el derecho—, puso el botón de ese pecho en la flor sonrosada pálida de la boca del pequeñuelo. Y éste gemía más estrujando entre sus pálidos labios el conmovido pezón seco.

—¡Un milagro, Virgen Santísima —gemía Gertrudis con los ojos velados por las lágrimas—; un milagro, y nadie lo sabrá, nadie!

Y apretaba como una loca al niño a su seno.

Oyó pasos y luego que intentaban abrir la puerta. Metióse el pecho, lo cubrió, se enjugó los ojos y salió a abrir. Era Ramiro, que le dijo:

—¡Ya acabó!

—Dios la tenga en su gloria. Y ahora, Ramiro, a cuidar de éstos.

—¿A cuidar? Tú..., tú..., porque sin ti...

—Bueno; ahora a criarlos, te digo.

VII

Ahora, ahora que se había quedado viudo, era cuando Ramiro sentía todo lo que sin él siquiera sospecharlo había querido a Rosa, su mujer. Uno de sus consuelos, el mayor, era recogerse en aquella alcoba en que tanto habían vivido amándose, y repasar su vida de matrimonio.

Primero el noviazgo, aquel noviazgo, aunque no muy prolongado, de lento reposo, en que Rosa parecía como que le hurtaba el fondo del alma siempre, y como si por acaso no la tuviese o haciéndole pensar que no la conocería hasta que fuese suya del todo y por entero; aquel noviazgo de recato y de reserva, bajo la mirada de Gertrudis, que era todo alma. Repasaba en su mente Ramiro, lo recordaba bien, cómo la presencia de Gertrudis, la tía Tula de sus hijos, le contenía y desasosegaba, cómo ante ella no se atrevía a soltar ninguna de esas obligadas bromas entre novios, sino a medir sus palabras.

Vino luego la boda y la embriaguez de los primeros meses, de las lunas de miel; Rosa iba abriéndole el espíritu, pero era éste tan sencillo, tan transparente, que cayó en la cuenta Ramiro de que no le había velado ni recatado nada. Porque su mujer vivía con el corazón en la mano y extendía ésta en gesto de oferta, y con las entrañas espirituales al aire del mundo, entregada por entero al cuidado del momento, como viven las rosas del campo y las alondras del cielo. Y era a la vez el espíritu de Rosa como un reflejo del de su hermana, como el agua corriente al sol de que aquél era el manantial cerrado.

Llegó, por fin, una mañana en que se le desprendieron a Ramiro las escamas de la vista y, purificada ésta, vio claro con el corazón. Rosa no era una hermosura cual él se la había creído y antojado, sino una figura vulgar, pero con todo el más dulce encanto de la vulgaridad recogida y mansa; era como el pan de cada día, como el pan casero y cotidiano, y no un raro manjar de turbadores jugos. Su mirada, que sembraba paz, su sonrisa, su aire de vida, eran encarnación de un ánimo sedante, sosegado y doméstico. Tenía su pobre mujer algo de planta en la silenciosa mansedumbre, en la callada tarea de beber y atesorar luz con los ojos y derramarla luego convertida en paz; tenía algo de planta en aquella fuerza velada y a la vez poderosa con que de continuo, momento tras momento, chupaba jugo de las entrañas de la vida común ordinaria y en la dulce naturalidad con que abría sus perfumadas corolas.

¡Qué de recuerdos! Aquellos juegos cuando la pobre se le escapaba y la perseguía él por la casa toda, fingiendo un triunfo para cobrar como botín besos largos y apretados, boca a boca; aquel cogerle la cara con ambas manos y estarse en silencio mirándole el alma por los ojos, y, sobre todo, cuando apoyaba el oído sobre el pecho de ella, ciñéndole con los brazos el talle, y escuchándole la marcha tranquila del corazón, le decía: «¡Calla, déjale que hable!»

Y las visitas de Gertrudis, que con su cara grave y sus grandes ojazos de luto a que asomaba un espíritu embozado, parecía decirles: «Sois unos chiquillos que cuando no os veo estáis jugando a marido y mujer; no es ésta la manera de prepararse a criar hijos, pues el matrimonio se instituyó para casar, dar gracia a los casados y que críen hijos para el cielo.»

¡Los hijos! Ellos fueron sus primeras grandes meditaciones. Porque pasó un mes y otro y algunos más, y al no notar señal ni indicio de que hubiese fructificado aquel amor «¿tendría razón —decíase entonces— Gertrudis? ¿Sería verdad que no estaban sino jugando a marido y mujer, y sin querer, con la fuerza toda de la fe en el deber, el fruto de la bendición del amor justo?». Pero lo que más le molestaba entonces, recordábalo bien ahora, era lo que pensarían los demás, pues acaso hubiese quien le creyera a él, por no haber podido hacer hijos, menos hombre que otros. ¿Por qué no había de hacer él, y mejor, lo que cualquier mentecato, enclenque y apocado hace? Heríale en su amor propio; habría querido que su mujer hubiese dado a luz a los nueve meses justos y cabales de haberse ellos casado. Además, eso de tener hijos o no tenerlos debía depender —decíase entonces— de la mayor o menor fuerza de cariño que los casados se tengan, aunque los hay enamoradísimos uno de otro y que no dan fruto, y otros, ayuntados por conveniencias de fortuna y ventura, que se cargan de críos. Pero —y esto sí que lo recordaba bien ahora— para explicárselo había fraguado su teoría, y era que hay un amor aparente y consciente, de cabeza, que puede mostrarse muy grande y ser, sin embargo, infecundo, y otro sustancial y oculto, recatado aun al propio conocimiento de los mismos que lo alimentan, un amor del alma y el cuerpo enteros y juntos, amor fecundo siempre. ¿No querría él lo bastante a Rosa o no le querría lo bastante Rosa a él? Y recordaba ahora cómo había tratado de descifrar el misterio mientras la envolvía en besos, a solas, en el silencio y oscuridad de la noche y susurrándola, una y otra vez al oído, en letanía, un rosario de «¿me quieres, me quieres, Rosa?», mientras a ella se le escapaban los síes desfallecidos. Aquello fue una locura, una necia locura, de la que se avergonzaba apenas veía entrar a Gertrudis derramando serena seriedad en torno, y de aquello le curó la sazón del amor cuando le fue anunciado el hijo. Fue un transporte loco..., ¡había vencido! Y entonces fue cuando vino, con su primer fruto, el verdadero amor.

El amor, sí. ¿Amor? ¿Amor dicen? ¿Qué saben de él todos esos escritores amatorios, que no amorosos, que de él hablan y quieren excitarlo en quien los lee? ¿Qué saben de él los galeotos de las letras? ¿Amor? No amor, sino mejor cariño. Eso de amor —decíase Ramiro ahora— sabe a libro; sólo en el teatro y en las novelas se oye el *yo te amo;* en la vida de carne y sangre y hueso el entrañable *¡te quiero!* y el más entrañable aún callárselo. ¿Amor? No, ni cariño siquiera, sino algo sin nombre y que no se dice por confundirse ello con la vida misma. Los más de los cantores amatorios saben de amor lo que de oración los masculla-jaculatorias, traga-novelas y engulle-rosarios. No, la oración no es tanto algo que haya de cumplirse a tales o cuales horas, en sitio apartado y recogido y en postura compuesta, cuanto es un modo de hacerlo todo votivamente, con toda el alma y viviendo en Dios. Oración ha de ser el comer, y el beber, y el pasearse, y el jugar, y el leer, y el escribir, y el conversar, y hasta el dormir, y el rezo todo, y nuestra vida un continuo y mudo «hágase tu voluntad», y un incesante «¡venga a nos el tu reino!», no ya pronunciados, mas ni aun pensados siquiera, sino vividos. Así oyó la oración una vez Ramiro a un santo varón religioso que pasaba por maestro de ella, y así lo aplicó él al amor luego. Pues el que profesara a su mujer y a ella le apegaba veía bien ahora en que ella se le fue, que se le llegó a fundir con el rutinero andar de la vida diaria, que lo había respirado en las mil naderías y frioleras del vivir doméstico, que le fue como el aire que se respira y al que no se le siente sino en momentos de angustioso ahogo, cuando nos falta. Y ahora ahogábase Ramiro, y la congoja de su viudez reciente le revelaba todo el poderío del amor pasado y vivido.

Al principio de su matrimonio fue, sí, el imperio del deseo; no podía juntar carne con carne sin que la suya se le encendiese y alborotase y empazara a martillarle el corazón, pero era porque la otra no era aún de veras y por entero suya también; pero luego, cuando ponía su mano sobre la carne desnuda de ella, era como si en la propia la hubiese puesto, tan tranquilo se quedaba; mas también si se la hubiera cortado habríale dolido como si se la cortasen a él. ¿No sintió, acaso, en sus entrañas, los dolores de los partos de su Rosa?

Cuando la vio gozar, sufriendo al darle su primer hijo, es cuando comprendió cómo es el amor más fuerte que la vida y que la muerte y domina la discordia de éstas; cómo el amor hace morirse a la vida y vivir la muerte; cómo él vivía ahora la muerte de su Rosa y se moría en su propia vida. Luego, al ver al niño dormido y sereno, con los labios en flor entreabiertos, vio el amor hecho carne que vive. Y allí sobre la cuna, contemplando a su fruto, traía a sí a la madre, y mientras el niño sonreía en sueños palpitando sus labios, besaba él a Rosa en la corola de sus labios frescos y en la fuente de paz de sus ojos. Y le decía, mostrándole dos dedos de la mano: «¡Otra vez, dos, dos!…» Y ella: «¡No, no, ya no más, uno y no más!» Y se reía. Y él: «¡Dos, dos; me ha entrado el capricho de que tengamos dos mellizos, una parejita, niño y niña!» Y cuando ella volvió a quedarse encinta, a cada paso y tropezón, él: «¡Qué cargado viene eso! ¡Qué granazón! ¡Me voy a salir con la mía; por lo menos dos!» «¡Uno, el último, y basta!», replicaba ella riendo. Y vino el segundo, la niña, Tulita, y luego que salió con vida, cuando descansaba la madre, la besó larga y apretadamente en la boca, como en premio, diciéndose: «¡Bien has trabajado, pobrecilla!»; mientras Rosa, vencedora de la muerte y de la vida, sonreía con los domésticos ojos apacibles.

¡Y murió!; aunque pareciese mentira, se murió. Vino la tarde terrible del combate último. Allí estuvo Gertrudis, mientras el cuidado de la pobrecita niña que desfallecía de hambre se lo permitió, sirviendo medicinas inútiles, componiendo la cama, animando a la enferma, encorazonando a todos. Tendida en el lecho que había sido campo de donde brotaron tres vidas, llegó a faltarle el habla y las fuerzas, y cogida de la mano a la mano de su hombre, del padre de sus hijos, mirábale como el navegante, al ir a perderse en el mar sin orillas, mira al lejano promontorio, lengua de la tierra nativa, que se va desvaneciendo en la lotananza y junto al cielo; en los trances del ahogo miraban sus ojos, desde el borde de la eternidad, a los ojos de su Ramiro. Y parecía aquella mirada una pregunta desesperada y suprema, como si a punto de partirse para nunca más volver a tierra, preguntase por el oculto sentido de la vida. Aquellas miradas de congoja reposada, de acongojado reposo, decían: «Tú, tú, que eres mi vida; tú, que conmigo has traído al mundo nuevos mortales; tú, que me has sacado tres vidas; tú, mi hombre, dime: ¿esto, qué es?» Fue una tarde abismática. En momentos de tregua, teniendo Rosa entre sus manos, húmedas y febriles, las manos temblorosas de Ramiro, clavados en los ojos de éste sus ojos henchidos de cansancio de vida, sonreía tristemente, volviéndolos luego al niño, que dormía allí cerca, en su cunita, y decía con los ojos, y alguna vez con un hilito de voz: «¡No: despertarle, no! ¡Que duerma, pobrecillo! ¡Que duerma…, que duerma hasta hartarse, que duerma!» Llególe por útimo el supremo trance, el del tránsito, y fue como si en el brocal de las eternas tinieblas, suspendida sobre el abismo, se aferrara a él, a su hombre, que vacilaba sintiéndose arrastrado. Quería abrirse con las uñas la garganta la pobre, mirábale despavorida, pidiéndole con los ojos aire; y luego, con ellos le sondeó el fondo del alma y, soltando su mano, cayó en la cama donde había concebido y parido sus tres hijos. Descansaron los dos; Ramiro, aturdido, con el corazón acorchado, sumergido como en un sueño sin fondo y sin despertar, muerta el alma, mientras dormía el niño. Gertrudis fue quien, viniendo con la pequeñita al pecho, cerró luegos los ojos a su hermana, la compuso un poco y fuése después a cubrir y arropar mejor al niño dormido, y a trasladarle en un beso la tibieza que con otro recogió de la vida que aún tendía sus últimos jirones sobre la frente de la rendida madre.

Pero ¿murió acaso Rosa? ¿Se murió de veras? ¿Podía haberse muerto viviendo en él, Ramiro? No; en sus noches, ahora solitarias, mientras se dormía solo en aquella cama de la muerte y de la vida y del amor, sentía a su lado el ritmo de su respiración, su calor tibio, aunque con una congojosa sensación de vacío. Y tendía la mano, recorriendo con ella la otra mitad de la cama, apretándola algunas veces. Y era lo peor que, cuando recogiéndose se ponía a meditar en ella, no se le ocurrieran sino cosas de libro, cosas de amor de libro y no de cariño de vida, y le escocía que aquel robusto sentimiento, vida de su vida y aire de su espíritu, no se le cuajara más que en abstractas lucubraciones. El dolor se le espiritualizaba, vale decir, que se le intelectualizaba, y sólo cobraba carne, aunque fuera vaporosa, cuando entraba Gertrudis.

Y de todo esto sacábale aquella fresca vocecita que piaba «¡Papá!» Ya estaba, pues, allí, ella, la muerta inmortal. Y luego, la misma vocecita: «¡Mamá!» Y la de Gertrudis, gravemente dulce, respondía: «¡Hijo!»

No; Rosa, su Rosa, no se había muerto, no era posible que se hubiese muerto; la mujer estaba allí, tan viva como antes y derramando vida en torno; la mujer no podía morir.

VIII

Gertrudis, que se había instalado en casa de su hermana desde que ésta dio por última vez a luz y durante su enfermedad última, le dijo un día a su cuñado:

—Mira, voy a levantar mi casa.

El corazón de Ramiro se puso al galope.

—Sí —añadió ella—, tengo que venir a vivir con vosotros y a cuidar de los chicos. No se le puede, además, dejar aquí sola a esa buena pécora del ama.

—Dios te lo pague, Tula.

—Nada de Tula, ya te lo tengo dicho; para ti soy Gertrudis.

—¿Y qué más da?

—Yo lo sé.

—Mira, Gertrudis...

—Bueno, voy a ver qué hace el ama.

A la cual vigilaba sin descanso. No la dejaba dar el pecho al pequeñito delante del padre de éste, y le regañaba por el poco recato y mucha desenvoltura con que se desabrochaba el seno.

—Si no hace falta que enseñes eso así: en el niño es en quien hay que ver si tienes o no leche abundante.

Ramiro sufría y Gertrudis lo sentía sufrir.

—¡Pobre Rosa! —decía de continuo.

—Ahora los pobres son los niños y es en ellos en quienes hay que pensar...

—No basta, no. Apenas descanso. Sobre todo por las noches la soledad me pesa; las hay que las paso en vela.

—Sal después de cenar, como salías de casado últimamente, y no vuelvas a casa hasta que sientas sueño. Hay que acostarse con sueño.

—Pero es que siento un vacío.

—¿Vacío teniendo hijos?

—Pero ella es insustituible...

—Así lo creo... Aunque vosotros los hombres...

—No creí que la quería tanto...

—Así nos pasa de continuo. Así me pasó con mi tío, y así me ha pasado con mi hermana, con tu Rosa. Hasta que ha muerto tampoco yo he sabido lo que la quería. Lo sé ahora en que cuido a sus hijos, a vuestros hijos. Y es que queremos a los muertos en los vivos.

—¿Y no, acaso, a los vivos en los muertos?...

—No sutilicemos.

Y por las mañanas, luego de haberse levantado Ramiro, iba su cuñada a la alcoba y abría de par en par las hojas del balcón, diciéndose: «Para que se vaya el olor a hombre.» Y evitaba luego encontrarse a solas con su cuñado, para lo cual llevaba siempre algún niño delante.

Sentada en la butaca en que solía sentarse la difunta, contemplaba los juegos de los pequeñuelos.

—Es que yo soy chico y tú no eres más que chica —oyó que le decía un día, con su voz de trapo, Ramirín a su hermanita.

—Ramirín, Ramirín —le dijo la tía—, ¿qué es eso? ¿Ya empiezas a ser bruto, a ser hombre?

Un día Ramiro llamó a su cuñada y le dijo:

—He sorprendido tu secreto, Gertrudis.

—¿Qué secreto?

—Las relaciones que llevabas con Ricardo, mi primo.

—Pues bien, sí, es cierto; se empeñó, me hostigó, no me dejaba en paz, y acabó por darme lástima.

—Y tan oculto que lo teníais...

—¿Y para qué declararlo?

—Y sé más.

—¿Qué es lo que sabes?

—Que le has despedido.

—También es cierto.

—Me ha enseñado él mismo tu carta.

—¿Cómo? No le creía capaz de eso. Bien he hecho en dejarle: ¡hombre al fin!

Ramiro, en efecto, había visto una carta de su cuñada a Ricardo, que decía así:

«Mi querido Ricardo: No sabes bien qué días tan malos estoy pasando desde que murió la pobre Rosa. Estos últimos han sido terribles y no he cesado de pedir a la Virgen Santísima y a su Hijo que me diesen fuerzas para ver claro en mi porvenir. No sabes bien con cuánta pena te lo digo, pero no pueden continuar nuestras relaciones; no puedo casarme. Mi hermana me sigue rogando desde el otro mundo que no abandone a sus hijos y que les haga de madre. Y puesto que tengo estos hijos a quien cuidar, no debo ya casarme. Perdóname, Ricardo, perdónamelo por Dios, y mira bien por qué lo hago. Me cuesta mucha pena, porque sé que habría llegado a quererte y, sobre todo, porque sé lo que me quieres y lo que sufrirás con esto. Siento en el alma causarte esta pena; pero tú, que eres bueno, comprenderás mis deberes y los motivos de mi resolución, y encontrarás otra mujer que no tendrá mis obligaciones sagradas y que te pueda hacer más feliz que yo habría podido hacerte. Adiós, Ricardo, que seas feliz, y hagas felices a otros, y ten por seguro que nunca, nunca te olvidará

Gertrudis.»

—Y ahora —añadió Ramiro—, a pesar de esto, Ricardo quiere verte.

—¿Es que me oculto yo acaso?

—No, pero…

—Dile que venga cuando quiera verme a esta nuestra casa.

—Nuestra casa, Gertrudis, nuestra…

—Nuestra, sí, y de nuestros hijos.

—Si tú quisieras…

—¡No hablemos de eso! —y se levantó.

Al día siguiente se le presentó Ricardo.

—Pero por Dios, Tula.

—No hablemos más de eso, Ricardo, que es cosa hecha.

—Pero por Dios —y se le quebró la voz.

—¡Sé hombre, Ricardo; sé fuerte!

—Pero es que ya tienen padre…

—No basta; no tienen madre…, es decir, sí la tienen.

—Puede él volver a casarse.

—¿Volverse a casar él? En ese caso, los niños se irán conmigo… Le prometí a su madre, en su lecho de muerte, que no tendrían madrastra.

—¿Y si llegases a serlo tú, Tula?

—¿Cómo yo?

—Sí, tú; casándote con él, con Ramiro.

—¡Eso nunca!

—Pues yo sólo así me lo explico.

—Eso nunca, te he dicho; no me expondría a que unos míos, es decir, de mi vientre, pudiesen mermarme el cariño que a ésos tengo. ¿Y más hijos, más? Eso nunca. Bastan éstos para bien criarlos.

—Pues a nadie le convencerás, Tula, de que te has venido a vivir aquí por eso.

—Yo no trato de convencer a nadie de nada. Y en cuanto a ti, basta que yo te lo diga.

Se separaron para siempre.

—¿Y qué? —le preguntó Ramiro.

—Que hemos acabado; no podía ser de otro modo.

—Y que has quedado libre…

—Libre estaba, libre estoy, libre pienso morirme.

—Gertrudis..., Gertrudis... —y su voz temblaba de súplica.

—Le he despedido porque me debo, ya te lo dije, a tus hijos, a los hijos de Rosa...

—Y tuyos..., ¿no dices así?

—¡Y míos, sí!

—Pero si tú quisieras...

—No insistas; ya te tengo dicho que no debo casarme ni contigo ni con otro menos.

—¿Menos? —y se le abrió el pecho.

—Sí, menos.

—¿Y cómo no fuiste monja?

—No me gusta que me manden.

—Es que en el convento que entrases serías tú la abadesa, la superiora.

—Menos me gusta mandar. ¡Ramirín!...

El niño acudió al reclamo. Y cogiéndole su tía le dijo: «¡Vamos a jugar al escondite, rico!»

—Pero Tula...

—Te he dicho —y para decirle esto se le acercó, teniendo cogido de la mano al niño, y se lo dijo al oído— que no me llames Tula, y menos delante de los niños. Ellos sí, pero tú no. Y ten respeto a los pequeños.

—¿En qué les falto al respeto?

—En dejar así al descubierto, delante de ellos, tus instintos...

—Pero si no comprenden.

—Los niños lo comprenden todo; más que nosotros. Y no olvidan nada. Y si ahora no lo comprenden, lo comprenderán mañana. Cada cosa de éstas que ve u oye un niño es una semilla en su alma, que luego echa tallo y da fruto. ¡Y basta!

IX

Y empezó una vida de triste desasosiego, de interna lucha en aquel hogar. Ella defendíase con los niños, a los que siempre procuraba tener presentes, y le excitaba a él a que saliera a distraerse. El, por su parte, extremaba sus caricias a los hijos y no hacía sino hablarles de su madre, de su pobre madre. Cogía a la niña y allí, delante de la tía, se la devoraba a besos.

—No tanto, hombre, no tanto, que así no haces sino molestar a la pobre criatura. Y eso, permíteme que te lo diga, no es natural. Bien está que hagas que me llamen tía y no mamá, pero no tanto; repórtate.

—¿Es que yo no he de tener el consuelo de mis hijos?

—Sí, hijo, sí; pero lo primero es educarlos bien.

—¿Y así?

—Hartándoles de besos y de golosinas se les hace débiles. Y mira que los niños adivinan...

—Y qué culpa tengo yo...

—Pero ¿es que puede haber para unos niños, hombre de Dios, un hogar mejor que éste? Tienen hogar, verdadero hogar, con padre y madre, y es un hogar limpio, castísimo, por todos cuyos rincones pueden andar a todas horas, un hogar donde nunca hay que cerrarles puerta alguna, un hogar sin misterios. ¿Quieres más?

Pero él buscaba acercarse a ella, hasta rozarla. Y alguna vez le tuvo que decir en la mesa:

—No me mires así, que los niños ven.

Por las noches, solía hacerles rezar por mamá Rosa, por mamita, para que Dios la tuviese en su gloria. Y una noche, después de este rezo y hallándose presente el padre, añadió:

—Ahora, hijos míos, un padrenuestro y avemaría por papá también.

—Pero papá no se ha muerto, mamá Tula.

—No importa, porque se puede morir...

—Eso, también tú.

—Es verdad; otro padrenuestro y avemaría por mí entonces.

Y cuando los niños se hubieron acostado, volviéndose a su cuñado le dijo secamente:

—Esto no puede ser así. Si sigues sin reportarte tendré que marcharme de esta casa, aunque Rosa no me lo perdone desde el cielo.

—Pero es que...

—Lo dicho; no quiero que ensucies así, ni con miradas, esta casa tan pura y donde mejor pueden criarse las almas de tus hijos. Acuérdate de Rosa.

—Pero ¿de qué crees que somos los hombres?

—De carne y muy brutos.

—¿Y tú, no te has mirado nunca?

—¿Qué es eso? —y se demudó el rostro sereno.

—Que aunque no fueses, como en realidad lo eres, su madre, ¿tienes derecho, Gertrudis, a perseguirme con tu presencia? ¿Es justo que me reproches y estés llenando la casa con tu persona, con el fuego de tus ojos, con el son de tu voz, con el imán de tu cuerpo lleno de alma, pero de un alma llena de cuerpo?

Gertrudis, toda encendida, bajaba la cabeza y se callaba, mientras le tocaba a rebato el corazón.

—¿Quién tiene la culpa de esto?, dime.

—Tienes razón, Ramiro, y si me fuese, los niños piarían por mí, porque me quieren...

—Más que a mí —dijo tristemente el padre.

—Es que yo no les besuqueo como tú, ni les sobo, y cuando les beso, ellos sienten que mis besos son más puros, que son para ellos solos...

—Y bien, ¿quién tiene la culpa de esto?, repito.

—Bueno, pues. Espera un año, esperemos un año; déjame un año de plazo para que vea claro en mí, para que veas claro en ti mismo, para que te convenzas...

—Un año..., un año...

—¿Te parece mucho?

—¿Y luego, cuando se acabe?

—Entonces... veremos...

—Veremos..., veremos...

—Yo no prometo más.

—Y si en este año...

—¿Qué? Si en este año haces alguna tontería...

—¿A qué llamas hacer una tontería?

—A enamorarte de otra y volverte a casar.

—Eso... ¡nunca!

—¡Qué pronto lo dijiste!...

—Eso... ¡nunca!

—¡Bah!, juramentos de hombres...

—Y si así fuese, ¿quién tendrá la culpa?

—¿Culpa?

—¡Sí, la culpa!

—Eso sólo querría decir...

—¿Qué?

—Que no la quisiste, que no la quieres a tu Rosa, como ella te quiso a ti, como ella te habría querido de haber sido ella la viuda...

—No, eso querría decir otra cosa, que no es...

—Bueno, basta. ¡Ramirín!, ¡ven acá, Ramirín! Anda, corre.

Y así se aplazó aquella lucha.

Y ella continuaba su labor de educar a sus sobrinos.

No quiso que a la niña se le ocupase demasiado en aprender costura y cosas así. «¿Labores de su sexo? —decía—, no, nada de labores de su sexo; el oficio de una mujer es hacer hombres y mujeres, y no vestirlos.»

Un día que Ramirín soltó una expresión soez que había aprendido en la calle y su padre iba a reprenderle, interrumpióle Gertrudis, diciéndole bajo: «No, dejarlo; hay que hacer como si no se ha oído; debe de haber un mundo de que ni para condenarlo hay que hablar aquí.»

Una vez que oyó decir de una que se quedaba soltera, que quedaba para vestir santos, agregó: «¡O para vestir almas de niños!»

—Tulita es mi novia —dijo una vez Ramirín.

—No digas tonterías; Tulita es tu hermana.

—¿Y no puede ser novia y hermana?

—No.

—¿Y qué es ser hermana?

—¿Ser hermana? Ser hermana es...

—Vivir en la misma casa —acabó la niña.

Un día llegó la niña llorando y mostrando un dedo en que le había picado una abeja. Lo primero que se le ocurrió a la tía fue ver si con su boca, chupándoselo, podía extraerle el veneno como había leído que se hace con el de ciertas culebras. Luego declararon los niños, y se les unió el padre, que no dejarían viva a ninguna de las abejas que venían al jardín, que las perseguirían a muerte.

—No, eso sí que no —exclamó Gertrudis—; a las abejas no las toca nadie.

—¿Por qué? ¿Por la miel? —preguntó Ramiro.

—No las toca nadie, he dicho.

—Pero si no son madres, Gertrudis.

—Lo sé, lo sé bien. He leído en uno de esos libros tuyos lo que son las abejas, lo he leído. Sé lo que son las abejas estas, las que pican y hacen la miel; sé lo que es la reina y sé también lo que son los zánganos.

—Los zánganos somos nosotros, los hombres.

—¡Claro está!

—Pues mira, voy a meterme en política; me van a presentar candidato a diputado provincial.

—¿De veras? —preguntó Gertrudis, sin poder disimular su alegría.

—¿Tanto te place?

—Todo lo que te distraiga.

—Faltan once meses, Gertrudis...

—¿Para qué?, ¿para la elección?

—¡Para la elección, sí!

X

Y era lo cierto que en el alma cerrada de Gertrudis se estaba desencadenando una brava galerna. Su cabeza reñía con su corazón, y ambos, corazón y cabeza, reñían con ella con algo más ahincado, más entrañado, más íntimo, con algo que era como el tuétano de los huesos de su espíritu.

A solas, cuando Ramiro estaba ausente del hogar, cogía al hijo de éste y de Rosa, a Ramirín, al que llamaba su hijo, y se lo apretaba al seno virgen, palpitante de congoja y henchido de zozobra. Y otras veces se quedaba contemplando el retrato de la que fue, de la que era todavía su hermana y como interrogándole si había querido de veras, que ella, que Gertrudis, le sucediese en Ramiro. «Sí, me dijo que yo había de llegar a ser la madre de su hombre, su otra mujer —se decía—, pero no pudo querer eso, no, no pudo quererlo…, yo, en su caso, al menos, no lo habría querido, no podría haberlo querido… ¿De otra? ¡No! ¡De otra, no! ¡Ni después de mi muerte! ¡Ni de mi hermana!… ¡De otra, no! No se puede ser más que de una… No, no pudo querer eso; no pudo querer que entre él, entre su hombre, entre el padre de sus hijos y yo se interpusiese su sombra… ¡No pudo querer eso! Porque cuando él estuviese a mi lado, arrimado a mí, carne a carne, ¿quién me dice que no estuviese pensando en ella? Yo no sería sino el recuerdo…, ¡algo peor que el recuerdo de la otra! No, lo que me pidió es que impida que sus hijos tengan madrastra. ¡Y lo impediré! Y casándome con Ramiro, entregándole mi cuerpo, y no sólo mi alma, no lo impediría... Porque entonces sí que sería madrastra. Y más si llegaba a darme hijos de mi carne y de mi sangre...» Y esto de los hijos de la carne hacía palpitar de sagrado terror el tuétano de los huesos del alma de Gertrudis, que era toda maternidad, pero maternidad de espíritu.

Y encerrábase en su cuarto, en su recatada alcoba, a llorar al pie de una imagen de la Santísima Virgen Madre, a llorar, mientras susurraba: «El fruto de tu vientre...»

Una vez que tenía apretado a su seno a Ramirín, éste le dijo:

—¿Por qué lloras, mamita? —pues habíale enseñado a llamarla así.

—Si no lloro...

—Sí; lloras...

—Pero ¿es que me ves llorar?

—No, pero te siento que lloras... Estás llorando...

—Es que me acuerdo de tu madre.

—Pues ¿no dices que lo eres tú?

—Sí, pero de la otra, de mamá Rosa.

—¡Ah, sí!; la que se murió..., la de papá...

—¡Sí; la de papá!

—¿Y por qué papá nos dice que no te llamemos mamá, sino tía, tiíta Tula, y tú nos dices que te llamemos mamá y no tía, no tiíta Tula?...

—Pero ¿es que papá os dice eso?

—Sí, nos ha dicho que todavía no eres nuestra mamá, que todavía no eres más que nuestra tía.

—¿Todavía?

—Sí; nos ha dicho que todavía no eres nuestra mamá, pero que lo serás... Sí, que vas a ser nuestra mamá, cuando pasen unos meses...

«Entonces, sería vuestra madrastra» —pensó Gertrudis, pero no se atrevió a desnudar este pensamiento pecaminoso ante el niño.

—Bueno, mira, no hagas caso de esas cosas, hijo mío...

Y cuando llegó Ramiro, el padre, le llamó aparte y severamente le dijo:

—No andes diciéndole al niño esas cosas. No le digas que yo no soy todavía más que su tía, la tía Tula, y que seré su mamá. Eso es corromperle, eso es abrirle los ojos sobre las cosas que no debe ver. Y si lo haces por influir con él sobre mí, si lo haces por moverme...

—Me dijiste que te tomabas un plazo...

—Bueno, si lo haces por eso, piensa en el papel que haces hacer a tu hijo, un papel de...

—¡Bueno, calla!

—Las palabras no me asustan, pero lo callaré. Y tú piensa en Rosa, recuerda a Rosa, ¡tu primer... amor!

—¡Tula!

—Basta. Y no busques madrastra para tus hijos, que tienen madre.

XI

«Esto necesita campo» —se dijo Gertrudis, e indicó a Ramiro la conveniencia de que todos ellos se fuesen a veranear a un pueblecito costero que tuviese montaña, dominando al mar y por éste dominada. Buscó un lugar que no fuese muy de moda, pero donde Ramiro pudiese encontrar compañeros de tresillo, pues tampoco le quería obligado a la continua compañía de los suyos. Era un género de soledad a que Gertrudis temía.

Allí todos los días salían de paseo, por la montaña, dando vista al mar, entre madroñales, ellos dos, Gertrudis y Ramiro, y los tres niños: Ramirín, Rosa y Elvira. Jamás, ni aun allí donde no los conocían —es decir, allí menos—, se hubiese arriesgado Gertrudis a salir de paseo con su cuñado, solos los dos. Al llegar a un punto en que un tronco tendido en tierra, junto al sendero, ofrecía, a modo de banco rústico, asiento, sentábanse en él ellos dos, cara al mar, mientras los niños jugaban allí cerca, lo más cerca posible. Una vez en que Ramiro quiso que se sentaran en el suelo, sobre la hierba montañesa, Gertrudis le contestó:

—¡No, en el suelo, no! Yo no me siento en el suelo, sobre la tierra, y menos junto a ti y ante los niños...

—Pero si el suelo está limpio..., si hay hierba...

—¡Te he dicho que no me siento así! ¡No, la postura no es cómoda!... ¡Peor que incómoda!

Desde aquel tronco, mirando al mar, hablaban de mil monadas, pues en cuanto el hombre deslizaba la conversación a senderos de lo por pacto tácito ya vedado de hablar entre ellos, la tía tenía en la boca un «¡Ramirín!» o «¡Rosita!» o «¡Elvira!». Le hablaba ella del mar y eran sus palabras, que le llegaban a él envueltas en el rumor no lejano de las olas, como la letra vaga de un canto de cuna para el alma. Gertrudis estaba brizando la pasión de Ramiro para adormecérsela. No le miraba casi nunca entonces, mirama al mar; pero en él, en el mar, veía reflejada por misterioso modo la mirada del hombre. El mar purísimo les unía las miradas y las almas.

Otras veces íbanse al bosque, a un castañar, y allí tenía ella que vigilarle, vigilarle y vigilar a los niños con más cuidado. Y también allí encontró el tronco derribado que le sirviese de asiento.

Quería atemperarle a una vida de familia purísima y campesina, hacer que se acostase cansado de luz y de aire libres, que se durmiese oyendo fuera el grillo, para dormir sin ensueños, que le despertase el canto del gallo y el trajineo de los campesinos y los marineros.

Por las mañanas bajaban a una pequeña playa, donde se reunía la pequeña colonia veraniega. Los niños, descalzos, entreteníanse, después del baño, en desviar con los pies el curso de un pequeño arroyuelo vagabundo e indeciso, que por la arena desaguaba en el mar. Ramiro se unió alguna vez a este juego de los niños.

Pero Gertrudis empezó a temer. Se había equivocado en sus precauciones. Ramiro huía del tresillo con sus compañeros de colonia veraniega y parecía espiar más que nunca la ocasión de hallarse a solas con su cuñada. La casita que habitaban tenía más de tienda de gitanos trashumantes que de otra cosa. El campo, en vez de adormecer, no la pasión, el deseo de Ramiro, parecía como si se lo excitase más, y ella misma, Gertrudis, empezó a sentirse desasosegada. La vida se les ofrecía más al desnudo en aquellos campos, en el bosque, en los repliegues de la montaña. Y luego había los animales domésticos, los que cría el hombre, con los que era mayor allí la convivencia. Gertrudis sufría al ver la atención con que los pequeños, sus sobrinos, seguían los juegos del averío. No, el campo no rendía una lección de pureza. Lo puro allí era hundir la mirada en el mar. Y aun el mar... La brisa marina les llegaba como un aguijón.

—¡Mira qué hermosura! —exclamó Gertrudis una tarde, al ocaso, en que estaban sentados frente al mar.

Era la luna llena, roja sobre su palidez, que surgía de las olas como una flor gigantesca y solitaria en un yermo palpitante.

—¿Por qué le habrán cantado tanto a la luna los poetas? —dijo Ramiro—; ¿por qué será la luz romántica y de los enamorados?

—No lo sé, pero se me ocurre que es la única tierra, porque es una tierra..., que vamos sabiendo que nunca llegaremos a ella..., es lo inaccesible. El sol no, el sol nos rechaza; gustamos de bañarnos en su luz, pero sabemos que es inhabitable, que en él nos quemaríamos, mientras que en la luna creemos que se podría vivir y en paz y crepúsculo eternos, sin tormentas, pues no la vemos cambiar; pero sentimos que no se puede llegar a ella... Es lo intangible...

—Y siempre nos da la misma cara..., esa cara tan triste y tan seria..., es decir, siempre ¡no!, porque la va velando poco a poco y la oscurece del todo y otras veces parece una hoz...

—Sí —y al decirlo parecía como que Gertrudis seguía sus propios pensamientos sin oír los de su compañero, aunque no era así—; siempre enseña la misma cara porque es constante, es fiel. No sabemos cómo será por el otro lado..., cuál será su otra cara...

—Y eso añade a su misterio.

—Puede ser... puede ser... Me explico que alguien anhele llegar a la luna..., ¡lo imposible!..., para ver cómo es por el otro lado..., para conocer y explorar su otra cara...

—La oscura...

—¿La oscura? ¡Me parece que no! Ahora que esta que vemos está iluminada, la otra estará a oscuras, pero o yo sé poco de estas cosas o cuando esta cara se oscurece del todo, en luna nueva, está en luz por el otro, es luna llena de la otra parte...

—¿Para quién?

—¿Cómo para quién?...

—Sí, que cuando el otro lado alumbra... ¿para quién?

—Para el cielo, y basta. ¿O es que a la luna la hizo Dios no más que para alumbrarnos de noche a nosotros, los de la tierra? ¿O para que hablemos estas tonterías?

—Pues bien, mira, Tula...

—¡Rosita!

Y no le dejó comentar la intangibilidad y la plenitud de la luna.

Cuando ella le habló de volver ya a la ciudad, apresuróse él a aceptarlo. Aquella temporada en el campo, entre la montaña y el mar, había sido estéril para sus propósitos. «Me he equivocado —se decía también él—; aquí está más segura que allí, que en casa; aquí parece embozarse en la montaña, en el bosque, como si el mar le sirviese de escudo; aquí es tan intangible como la luna, y entretanto este aire de salina filtrado por entre rayos de sol enciende la sangre..., y ella me parece aquí fuera de su ámbito y como si temiese algo; vive alerta y diríase que no duerme...» Y ella a su vez se decía: «No, la pureza no es el campo; la pureza es celda, de claustro y de ciudad; la pureza se desarrolla entre gentes que se unen en mazorcas de viviendas para mejor aislarse; la ciudad es monasterio, convento de solitarios; aquí la tierra, sobre que casi se acuestan, los une y los animales son otras tantas serpientes del paraíso... ¡A la ciudad, a la ciudad!

En la ciudad estaba su convento, su hogar, y en él su celda. Allí adormecería mejor a su cuñado. ¡Oh!, si pudiese decir de él —pensaba— lo que Santa Teresa en una carta —Gertrudis leía mucho a Santa Teresa— decía de su cuñado don Juan de Ovalle, marido de doña Juana de Ahumada: «Él es de condición en cosas muy aniñado...» ¿Cómo le aniñaría?

XII

Al fin, Gertrudis no pudo con su soledad y decidió llevar su congoja al padre Álvarez, su confesor, pero no su director espiritual. Porque esta mujer había rehuido siempre ser dirigida y menos por un hombre. Sus normas de conducta moral, sus convicciones y creencias religiosas se las había formado ella con lo que oía a su alrededor, y con lo que leía, pero las interpretaba a su modo. Su pobre tío, don Primitivo, el sacerdote ingenuo que las había criado a las dos hermanas y les enseñó el catecismo de la doctrina cristiana, explicado según el Mazo, sintió siempre un profundo respeto por la inteligencia de su sobrina Tula, a la que admiraba. «Si te hicieses monja —solía decirle— llegarías a ser otra Santa Teresa... ¡Qué cosas se te ocurren, hija!...» Y otras veces: «Me parece que eso que dices, Tulilla, huele un poco a herejía; ¡hum! No lo sé..., no lo sé... porque no es posible que te inspire herejías el ángel de tu guarda, pero eso me suena así como a..., ¡qué sé yo!...» Y ella le contestaba riendo: «Sí, tío, son tonterías que se me ocurren, y ya que dice usted que huele a herejía no lo volveré a pensar.» Pero ¿quién pone barreras al pensamiento?

Gertrudis se sintió siempre sola. Es decir, sola para que la ayudaran, porque para ayudar ella a los otros no, no estaba sola. Era como una huérfana cargada de hijos. Ella sería el báculo de todos los que la rodearan; pero si sus piernas flaquearan, si su cabeza no le mantuviese firme en su sendero, si su corazón empezaba a bambolear y enflaquecer, ¿quién la sostendría a ella?, ¿quién sería su báculo? Porque ella, tan henchida del sentimiento, de la pasión mejor, de la maternidad, no sentía la filialidad. «¿No es esto orgullo?», se preguntaba.

No pudo al fin con esta soledad y decidió llevar a su confesor, al padre Álvarez, su congoja. Y le contó la declaración y proposición de Ramiro, y hasta lo que les había dicho a los niños de que no le llamasen a ella todavía madre, y las razones que tenía para mantener la pureza de aquel hogar y cómo no quería entregarse a hombre alguno, sino reservarse para mejor consagrarse a los hijos de Rosa.

—Pero lo de su cuñado lo encuentro muy natural —arguyó el buen padre de almas.

—Es que no se trata ahora de mi cuñado, padre, sino de mí; y no creo que haya acudido a usted también en busca de alianza...

—¡No, no, hija, no!

—Como dicen que en los confesionarios se confeccionan bodas y que ustedes, los padres, se dedican a casamenteros...

—Y lo único que digo ahora, hija, es que es muy natural que su cuñado, viudo y joven y fuerte, quiera volver a casarse, y más natural, y hasta santo, que busque otra madre para sus hijos...

—¿Otra? ¡Ya la tiene!

—Sí, pero... y si ésta se va...

—¿Irme? ¿Yo? Estoy obligada a esos niños como estaría su madre de carne y sangre si viviese.

—Y luego eso da que hablar.

—De lo que hablen, padre, ya le he dicho que nada se me da...

—¿Y si lo hiciese precisamente por eso, por que hablen? Examínese y mire si no entra en ello un deseo de

afrontar las preocupaciones ajenas, de desdeñar la opinión
pública…

—Y si así fuese, ¿qué?

—Que eso sí que es pecaminoso. Y después de todo, la
cuestión es otra.

—¿Cuál es la cuestión?

—La cuestión es si usted le quiere o no. Ésta es la
cuestión. ¿Le quiere usted, sí o no?

—¡Para marido… no!

—Pero ¿le rechaza?

—¡Rechazarle…, no!

—Si cuando se dirigió a su hermana, la difunta, se hubiera dirigido a usted…

—¡Padre! ¡Padre! —y su voz gemía.

—Sí, por ahí hay que verlo…

—¡Padre; que eso no es pecado…!

—Pero ahora se trata de dirección espiritual, de tomar consejo… Y sí, es pecado, es acaso pecado… Tal vez
hay aquí unos viejos celos…

—¡Padre!

—Hay que ahondar en ello. Acaso no le ha perdonado aún.

—Le he dicho, padre, que le quiero, pero no para marido. Le quiero como a un hermano, como a un más que
hermano, como al padre de mis hijos, porque éstos, sus
hijos, lo son míos de lo más dentro mío, de todo mi corazón; pero para marido, no. Yo no puedo ocupar en su
cama el sitio que ocupó mi hermana… Y sobre todo,
yo no quiero, no debo darles madrastra a mis hijos…

—¿Madrastra?

—Sí, madrastra. Si yo me caso con él, con el padre de
los hijos de mi corazón, les daré madrastra a éstos, y más
si llego a tener hijos de carne y sangre con él. Esto, ahora
ya…, ¡nunca!

—Ahora ya…

—Sí; ahora que yo tengo a los de mi corazón..., mis hijos...

—Pero piense en él, en su cuñado, en su situación...

—¿Que piense?...

—¡Sí! ¿Y no tiene compasión de él?

—Sí que la tengo. Y por eso le ayudo y le sostengo. Es como otro hijo mío.

—Le ayuda..., le sostiene...

—Sí, le ayudo y le sostengo a ser padre...

—A ser padre..., a ser padre... Pero él es un hombre...

—¡Y yo una mujer!

—Es débil...

—¿Soy yo fuerte?

—Más de lo debido.

—¿Más de lo debido? ¿Y lo de la mujer fuerte?

—Es que esa fortaleza, hija mía, puede alguna vez ser dureza, ser crueldad. Y es dura con él, muy dura. ¿Que no le quiere como a marido? ¡Y qué importa! Ni hace falta eso para casarse con un hombre. Muchas veces tiene que casarse una mujer con un hombre por compasión, por no dejarle solo, por salvarle, por salvar su alma...

—Pero si no le dejo solo...

—Sí, sí, le deja solo. Y creo que me comprende sin que se lo explique más claro...

—Sí, sí, que se lo comprendo, pero no quiero comprenderlo. No está solo. ¡Quien está sola soy yo! Sola..., sola..., siempre sola...

—Pero ya sabe aquello de «más vale casarse que abrasarse...»

—Pero si no me abraso...

—¿No se queja de su soledad?

—No es soledad de abrasarse; no es esa soledad a que usted, padre, alude. No, no es ésa. No me abraso...

—¿Y si se abrasa él?

—Que se refresque en el cuidado y amor de sus hijos.

—Bueno; pero ya me entiende.

—Demasiado.

—Y por si no, le diré más claro aún que su cuñado corre peligro, y que si cae en él, cabrá culpa.

—¿A mí?

—¡Claro está!

—No lo veo tan claro. Como no soy hombre...

—Me dijo que uno de sus temores de casarse con su cuñado era el de tener hijos con él, ¿no es así?

—Sí, así es. Si tuviéramos hijos, llegaría yo a ser, quieras o no, madrastra de los que me dejó mi hermana.

—Pero el matrimonio no se instituyó sólo para hacer hijos.

—Para casar y dar gracias a los casados y que críen hijos para el cielo.

—Dar grdacias a los casados... ¿Lo entiende?

—Apenas...

—Que vivan en gracia, libres de pecado.

—Ahora lo entiendo menos.

—Bueno, pues que es un remedio contra la sensualidad.

—¿Cómo? ¿Qué es eso? ¿Qué?

—Pero ¿por qué se pone así?... ¿Por qué se altera?...

—¿Qué es el remedio contra la sensualidad? ¿El matrimonio o la mujer?

—Los dos... La mujer... y... el hombre.

—¡Pues, no, padre, no, no y no! ¡Yo no puedo ser remedio contra nada! ¿Qué es eso de considerarme remedio? ¡Y remedio... contra eso! No, me estimo en más...

—Pero si es que...

—No, ya no sirve. Yo, si él no tuviera hijos de mi hermana, acaso me habría casado con él para tenerlos..., para tenerlos de él...; pero ¿remedio? ¿Y a eso? ¿Yo remedio? ¡No!

—Y si antes de haber solicitado a su hermana la hubiera solicitado...

—¿A mí? ¿Antes? ¿Cuando nos conoció? No hablemos ya más, padre, que no podemos entendernos, pues veo que hablamos lenguas diferentes. Ni yo sé la de usted, ni usted sabe la mía.

Y dicho esto, se levantó de junto al confesonario. Le costaba andar; tan doloridas le habían quedado del arrodillamiento las rodillas. Y a la vez le dolían las articulaciones del alma, y sentía su soledad más hondamente que nunca. «¡No, no me entiende —se decía—, no me entiende; hombre al fin! Pero ¿me entiendo yo misma? ¿Es que me entiendo? ¿Le quiero o no le quiero? ¿No es soberbia esto? ¿No es la triste pasión solitaria del armiño, que por no mancharse no se echa a nado en un lodazal a salvar a su compañero?... No lo sé..., no lo sé...»

XIII

Y de pronto observó Gertrudis que su cuñado era otro hombre, que celaba algún secreto, que andaba caviloso y desconfiado, que salía mucho de casa; pero aquellas más largas ausencias del hogar no le engañaron. El secreto estaba en él, en el hogar. Y a fuerza de paciente astucia logró sorprender miradas de conocimiento íntimo entre Ramiro y la criada de servicio.

Era Manuela una hospiciana de diecinueve años, enfermiza y pálida, de un brillo febril en los ojos, de maneras sumisas y mansas, de muy pocas palabras, triste casi siempre. A ella, a Gertrudis, ante quien sin saber por qué temblaba, llamábale «señora». Ramiro quiso hacer que le llamase «señorita».

—No, llámame así: señora; nada de señorita...

En general parecía como que la criada le temiera, como avergonzada o amedrentada en su presencia. Y a los niños los evitaba y apenas si les dirigía la palabra. Ellos, por su parte, sentían una indiferencia rayana en despego hacia la Manuela. Y hasta alguna vez se burlaban de ella, por cierta manera de hablar, lo que la ponía de grana. «Lo extraño es —pensaba Gertrudis— que a pesar de todo no quiera irse..., tiene algo de gata esta mozuela.» Hasta que se percató de lo que podría haber escondido.

Un día logró sorprender a la pobre muchacha cuando salía del cuarto de Ramiro, del señorito —porque a éste sí que le llamaba así— toda encendida y jadeante. Cruzáronse las miradas y la criada rindió la suya. Pero llegó otro en que el niño, Ramirín, se fue a su tía, y le dijo:

—Dime, mamá Tula, ¿es Manuela también hermana nuestra?

—Ya te tengo dicho que todos los hombres y mujeres somos hermanos.

—Sí; pero como nosotros, los que vivimos juntos...

—No; porque aunque vive aquí, ésta no es su casa...

—¿Y cuál es su casa?

—¿Su casa? No lo quieras saber. ¿Y por qué me preguntas eso?

—Porque le he visto a papá que la estaba besando...

Aquella noche, luego que hubieron acostado a los niños, dijo Gertrudis a Ramiro:

—Tenemos que hablar.

—Pero si aún faltan ocho meses...

—¿Ocho meses?

—¿No hace cuatro que diste un año de plazo?

—No se trata de eso, hombre, sino de algo más serio.

A Ramiro se le paró el corazón y se puso pálido.

—¿Más serio?

—Más serio, sí. Se trata de tus hijos, de su buena crianza, y se trata de esa pobre hospiciana, de la que estoy segura que estás abusando.

—Y si así fuese, ¿quién tiene la culpa de eso?

—¿Y aún lo preguntas? ¿Acaso querrás también culparme de ello?

—¡Claro que sí!

—Pues bien, Ramiro: se ha acabado ya aquello del año; no hay plazo ninguno; no puede ser, no puede ser. Y ahora sí que me voy, y, diga lo que dijere la ley, me llevaré a los niños conmigo, es decir, se irán conmigo.

—Pero ¿estás loca, Gertrudis?

—Quien está loco eres tú.

—Pero ¿qué querías?...

—Nada, o yo o ella. O me voy, o echas a esa criadita de casa.

Siguióse un congojoso silencio.

—No la puedo echar, Gertrudis, no la puedo echar. ¿Adónde se va? ¿Al Hospicio otra vez?

—A servir a otra casa.

—No la puedo echar, Gertrudis, no la puedo echar —y el hombre rompió a llorar.

—¡Pobre hombre! —murmuró ella poniéndole la mano sobre la suya—. Me das pena.

—Ahora, ¿eh?, ¿ahora?

—Sí; me das lástima... Estoy ya dispuesta a todo...

—¡Gertrudis! ¡Tula!

—Pero has dicho que no la puedes echar...

—Es verdad; no la puedo echar —y volvió a abatirse.

—¿Qué pues?, ¿que no va sola?

—No, no irá sola.

—Los ocho meses de plazo, ¿eh?

—¡Estoy perdido, Tula, estoy perdido!

—No; la que está perdida es ella, la huérfana, la hospiciana, la sin amparo.

—Es verdad, es verdad...

—Pero no te aflijas así, Ramiro, que la cosa tiene fácil remedio...

—¿Remedio? ¿Y fácil? —y se atrevió a mirarla a la cara.

—Sí; casarte con ella.

Un rayo que le hubiese herido no le habría dejado más deshecho que esas palabras sencillas.

—¡Que me case! ¡Que me case con la criada! ¿Que me case con una hospiciana? ¡Y me lo dices tú!...

—¡Y quién, si no, había de decírtelo! Yo, la verdadera madre hoy de tus hijos.

—¿Que les dé madrastra?

—¡No, eso no!, que aquí estoy yo para seguir siendo su madre. Pero que des padre al que haya de ser tu nuevo hijo, y que le des madre también. Esa hospiciana tiene derecho a ser madre, tiene ya el deber de serlo, tiene derecho a su hijo y al padre de su hijo.

—Pero Gertrudis...

—Cásate con ella, te he dicho; y te lo dice Rosa. Sí —y su voz serena y pastosa resonó como una campana—. Rosa, tu mujer, te dice por mi boca que te cases con la hospiciana. ¡Manuela!

—¡Señora! —se oyó como un gemido, y la pobre muchacha, que acurrucada junto al fogón, en la cocina, había estado oyéndolo todo, no se movía de su sitio. Volvió a llamarla, y después de otro «¡señora!» tampoco se movió.

—Ven acá, o iré a traerte.

—¡Por Dios! —suplicó Ramiro.

La muchacha apareció cubriéndose la llorosa cara con las manos.

—Decubre la cara y míranos.

—¡No, señora, no!

—Sí, míranos. Aquí tienes a tu amo, a Ramiro, que te pide perdón por lo que de ti ha hecho.

—Perdón, yo, señora, y a usted...

—No, te pide perdón y se casará contigo.

—¡Pero señora! —clamó Manuela, a la vez que Ramiro clamaba: «¡Pero Gertrudis!»

—Lo he dicho; se casará contigo. Así lo quiere Rosa. No es posible dejarte así. Porque tú estás ya..., ¿no es eso?

—Creo que sí, señora; pero yo...

—No llores así ni hagas juramentos; sé que no es tuya la culpa...

—Pero se podría arreglar...

—Bien sabe aquí, Manuela —dijo Ramiro—, que nunca he pensado abandonarla... Yo la colocaría...

—Sí, señora, sí; yo me contento...

—No; tú no debes contentarte con eso que ibas a

decir. O mejor, aquí Ramiro no puede contentarse con eso. Tú te has criado en el Hospicio, ¿no es cierto?

—Sí, señora.

—Pues tu hijo no se criará en él. Tiene derecho a tener padre, a su padre, y le tendrá. Y ahora vete..., vete a tu cuarto, y déjanos.

Y cuando quedaron Ramiro y ella a solas:

—Me parece que no dudarás ni un momento...

—¡Pero eso que pretendes es una locura, Gertrudis!

—La locura, peor que locura la infamia, sería lo que pensabas.

—Consúltalo siquiera con el padre Álvarez.

—No lo necesito. Lo he consultado con Rosa.

—Pero si ella te dijo que no dieses madrastra a sus hijos...

—¿A sus hijos? ¡Y tuyos!

—Bueno, sí, a nuestros hijos...

—Y no les daré madrastra. De ellos, de los nuestros, seguiré siendo yo la madre, pero del de ésa...

—Nadie la quitará de ser madre...

—Sí, tú, si no te casas con ella. Eso no será ser madre...

—Pues ella...

—¿Y qué? Porque ella no ha conocido a la suya, ¿pretendes tú que no lo sea como es debido?

—Pero fíjate en que esta chica...

—Tú eres quien debió fijarse...

—Es una locura..., una locura...

—La locura ha sido antes. Y ahora piénsalo, que si no haces lo que debes, el escándalo lo daré yo. Lo sabrá todo el mundo.

—¡Gertrudis!

—Cásate con ella, y se acabó.

XIV

Una profunda tristeza henchía aquel hogar después del matrimonio de Ramiro con la hospiciana. Y ésta parecía aún más que antes la criada, la sirvienta, y más que nunca Gertrudis el ama de la casa. Y esforzábase ésta más que nunca por mantener al nuevo matrimonio apartado de los niños, y que éstos se percataran lo menos posible de aquella convivencia íntima. Mas hubo que tomar otra criada y explicar a los pequeños el caso.

Pero ¿cómo explicarle el que la antigua criada se sentara a la mesa a comer con los de casa? Porque esto exigió Gertrudis.

—Por Dios, señora —suplicaba Manuela—, no me avergüence así..., mire que me avergüenza... Hacerme que me siente a la mesa con los señores, y sobre todo con los niños..., y que hable de tú al señorito..., ¡eso nunca!

—Háblabe como quieras; pero es menester que los niños, a los que tanto temes, sepan que eres de la familia. Y ahora, una vez arreglado esto, no podrán ya sorprender intimidades a hurtadillas. Ahora os recataréis mejor. Porque antes el querer ocultaros de ellos os delataba.

La preñez de Manuela fue en tanto molestísima. Su fragilísima fábrica de cuerpo la soportaba mal. Y Gertrudis, por su parte, le recomendaba que ocultase a los niños lo anormal de su estado.

Ramiro vivía sumido en su resignada desesperación y más entregado que nunca al albedrío de Gertrudis.

—Sí, bien lo comprendo ahora —decía—, no ha habido más remedio; pero...

—¿Te pesa? —le preguntaba Gertrudis.

—De haberme casado, ¡no! De haber tenido que volverme a casar, ¡sí!

—Ahora no es ya tiempo de pensar en eso; ¡pecho a la vida!

—¡Ah, si tú hubieras querido, Tula!

—Te di un año de plazo; ¿has sabido guardarlo?

—¿Y si lo hubiese guardado como tú querías, al fin de él qué, dime? Porque no me prometiste nada.

—Aunque te hubiese prometido algo habría sido igual. No; habría sido peor aún. En nuestras circunstancias, el haberte hecho una promesa, el haberte sólo pedido una dilación para nuestro enlace, habría sido peor.

—Pero si hubiese guardado la tregua, como tú querías que la guardase, dime: ¿qué habrías hecho?

—No lo sé.

—Que no lo sabes... Tula... Que no lo sabes...

—No, no lo sé; te digo que no lo sé.

—Pero tus sentimientos...

—Piensa ahora en tu mujer, que no sé si podrá soportar el trance en que la pusiste. ¡Es tan endeble la pobrecilla! Y está tan llena de miedo... Sigue asustada de ser tu mujer y ama de su casa.

Y cuando llegó el peligroso parto repitió Gertrudis las abnegaciones que en los partos de su hermana tuviera, y recogió al niño, una criatura menguada y debilísima, y fue quien lo enmantilló y quien se lo presentó a su padre.

—Aquí le tienes, hombre; aquí le tienes.

—¡Pobre criatura! —exclamó Ramiro, sintiendo que se le derretían de lástima las entrañas a la vista de aquel mezquino rollo de carne viviente y sufriente.

—Pues es tu hijo, un hijo más... Es un hijo más que nos llega.

—¿Nos llega? ¿También a ti?

—Sí, también a mí; no he de ser madrastra para él, yo que hago que no la tengan los otros.

Y así fue que no hizo distinción entre unos y otros.

—Eres una santa, Gertrudis —le decía Ramiro—; pero una santa que ha hecho pecadores.

—No digas eso; soy una pecadora que me esfuerzo por hacer santos; santos a tus hijos, a ti y a tu mujer.

—¡Mi mujer!...

—Tu mujer, sí; la madre de tu hijo. ¿Por qué la tratas con ese cariñoso despego y como a una carga?

—¿Y qué quieres que haga, que me enamore de ella?

—Pero ¿no lo estabas cuando la sedujiste?

—¿De quién? ¿De ella?

—Ya lo sé, ya sé que no; pero lo merece la pobre...

—¡Pero si es la menor cantidad de mujer posible, si no es nada!

—No, hombre, no; es más, es mucho más de lo que tú crees. Aún no la has conocido.

—Si es una esclava...

—Puede ser, pero debes libertarla... La pobre está asustada..., nació asustada... Te aprovechaste de su susto...

—No sé, no sé cómo fue aquello...

—Así sois los hombres; no sabéis lo que hacéis ni pensáis en ello. Hacéis las cosas sin pensarlas...

—Peor es muchas veces pensarlas y no hacerlas...

—¿Y por qué lo dices?

—No, nada; por nada...

—¿Tú crees, sin duda, que yo no hago más que pensar?

—No, no he dicho que crea eso...

—Sí, tú crees que yo no soy más que pensamiento...

XV

De nuevo la pobre Manuela, la hospiciana, la esclava, hallábase preñada. Y Ramiro muy malhumorado con ello.

—Como si uno no tuviese bastante con los otros... —decía.

—¡Y yo qué quieres que le haga! —exclamaba la víctima.

—Después de todo, tú lo has querido así —concluía Gertrudis.

Y luego, aparte, volvía a reprenderle por el trato de compasivo despego que daba a su mujer, la cual soportaba su estado aún peor que la otra.

—Me temo por la pobre muchacha —vaticinó don Juan, el médico, un viudo que menudeaba sus visitas.

—¿Cree usted que corre peligro? —le preguntó Gertrudis.

—Esta pobre chica está deshecha por dentro; es una tísica consumada y consumida. Resistirá, es lo más probable, hasta dar a luz, pues la Naturaleza, que es muy sabia...

—¡La Naturaleza, no! La Santísima Virgen Madre, don Juan —le interrumpió Gertrudis.

—Como usted quiera; me rindo, como siempre, a su superior parecer. Pues, como decía, la Naturaleza o la Virgen, que para mí es lo mismo...

—No, la Virgen es la Gracia...

—Bueno; pues la Naturaleza, la Virgen, la Gracia o lo que sea, hace que en estos casos la madre se defienda y resista hasta que dé a luz el nuevo ser. Ese inocente pequeñuelo le sirve a la pobre madre futura como escudo contra la muerte.

—¿Y luego?

—¿Luego? Que probablemente tendrá usted que criar sola, sirviéndose de una ama de cría, por supuesto, un crío más. Tiene ya cuatro; cargará con cinco.

—Con todos los que Dios me mande.

—Y que probablemente, no digo que seguramente, a no tardar mucho, don Ramiro volverá a quedar libre —y miró fijamente con sus ojillos grises a Gertrudis.

—Y dispuesto a casarse por tercera vez —agregó ésta haciéndose la desentendida.

—¡Eso sería ya heroico!

—Y usted, puesto que permanece viudo, y viudo sin hijos, es que no tiene madera de héroe.

—¡Ah doña Gertrudis, si yo pudiese hablar!

—¡Pues cállese usted!

—Me callo.

Le tomó la mano, reteniéndosela un rato, y dándole con la otra suya unos golpecitos, añadió con un suspiro:

—Cada hombre es un mundo, Gertrudis.

—Y cada mujer una luna, ¿no es eso, don Juan?

—Cada mujer puede ser un cielo.

«Este hombre me dedica un cortejo platónico», se dijo Gertrudis.

Cuando en la casa temían por la pobre Manuela y todos los cuidados eran para ella, cayó de pronto en cama Ramiro, declarándosele desde luego una pulmonía. La pobre hospiciana quedó como atontada.

—Déjame a mí, Manuela —le dijo Gertrudis—; tú cuídate y cuida a lo que llevas contigo. No te empeñes en atender a tu marido, que eso puede agravarte...

—Pero yo debo...

—Tú debes cuidar de lo tuyo.

—Y mi marido, ¿no es mío?

—No, ahora no; ahora es tuyo tu hijo que está por venir.

La enfermedad de Ramiro se agravaba.

—Temo complicaciones al corazón —sentenció don Juan—. Le tiene débil; claro, ¡los pesares y disgustos!

—Pero ¿se morirá, don Juan? —preguntó henchida de angustia Gertrudis.

—Todo pudiera ser...

—Sálvele, don Juan, sálvele, como sea...

—¡Qué más quisiera yo!...

—¡Ah, qué desgracia! ¡Qué desgracia! —y por primera vez se le vio a quella mujer tener que sentarse y sufrir un desvanecimiento.

—Es, en efecto, terrible —dijo el médico en cuanto Gertrudis se repuso —dejar así cuatro hijos, ¿qué digo cuatro?, cinco se puede decir, ¡y esa pobre viuda tal como está!...

—Eso es lo de menos, don Juan; para todo eso me basto y me sobro yo. ¡Qué desgracia! ¡Qué desgracia!

Y el médico se fue diciéndose: «Está visto; esta cuñadita contaba con volver a tenerle libre a su cuñado. Cada persona es un mundo, y algunas varios mundos. Pero ¡qué mujer! ¡Es toda una mujer! ¡Qué fortaleza! ¡Qué sagacidad! Y qué ojos! ¡Qué cuerpo! ¡Irradia fuego!»

Ramiro, una tarde en que la fiebre, remitiéndosele, habíale dejado algo más tranquilo, llamó a Gertrudis, le rogó que cerrara la puerta de la alcoba, y le dijo:

—Yo me muero, Tula, me muero sin remedio. Siento que el corazón no quiere ya marchar, a pesar de todas las inyecciones, yo me muero...

—No pienses en eso, Ramiro.

Pero ella también creía en aquella muerte.

—Me muero, y es hora, Tula, de decirte toda la verdad. Tú me casaste con Rosa.

—Como no te decidías y dabas largas...

—¿Y sabes por qué?

—Sí; lo sé, Ramiro.

—Al principio, al veros, al ver a la pareja, sólo reparé en Rosa; era a quien se le veía de lejos; pero al acercarme, al empezar a frecuentaros, sólo te vi a ti, pues eras la única a quien desde cerca se veía. De lejos te borraba ella; de cerca le borrabas tú.

—No hables así de mi hermana, de la madre de tus hijos.

—No; la madre de mis hijos eres tú, tú, tú.

—No pienses ahora sino en Rosa, Ramiro.

—A la que me juntaré pronto, ¿no es eso?

—¡Quién sabe!... Piensa en vivir, en tus hijos...

—A mis hijos les quedas tú, su madre.

—Y en Manuela, en la pobre Manuela...

—Aquel plazo, Tula, aquel plazo fatal.

Los ojos de Gertrudis se hincharon de lágrimas.

—¡Tula! —gimió el enfermo abriendo los brazos.

—¡Sí; Ramiro, sí! —exclamó ella cayendo en ellos y abrazándole.

Juntaron las bocas y así estuvieron, sollozando.

—¿Me perdonas todo, Tula?

—No, Ramiro, no; eres tú quien tiene que perdonarme.

—¿Yo?

—¡Tú! Una vez hablabas de santos que hacen pecadores. Acaso he tenido una idea inhumana de la virtud. Pero cuando lo primero, cuando te dirigiste a mi hermana, yo hice lo que debí hacer. Además, te lo confieso, el hombre, todo hombre, hasta tú, Ramiro, hasta tú, me ha dado miedo siempre; no he podido ver en él sino el bruto. Los niños, sí; pero el hombre... He huido del hombre...

—Tienes razón, Tula.

—Pero ahora descansa, que estas emociones así pueden dañarte.

122

Le hizo guardar los brazos bajo las mantas, le arropó, le dio un beso en la frente como se le da a un niño —y un niño era entonces para ella— y se fue. Mas al encontrarse sola se dijo: «¿Y si se repone y cura? ¿Si no se muere? ¿Ahora que ha acabado de romperse el secreto entre nosotros? ¿Y la pobre Manuela? ¡Tendré que marcharme! ¿Y adónde? ¿Y si Manuela se muere y vuelve él a quedarse libre?» Y se fue a ver a Manuela, a la que encontró postradísima.

Al siguiente día, llevó a los niños al lecho del padre, ya sacramentado y moribundo; los levantó uno a uno y les hizo que les besaran. Luego fue, apoyada en ella, en Gertrudis, Manuela, y de poco se muere de la congoja que le dio sobre el enfermo. Hubo que sacarla y acostarla. Y poco después, cogido de una mano a otra de Gertrudis, y susurrando: «¡Adiós, mi Tula!», rindió el espíritu con el último huelgo Ramiro. Y ella, la tía, vació su corazón en sollozos de congoja sobre el cuerpo exánime del padre de sus hijos, de su pobre Ramiro.

XVI

Apenas, fuera de la soberana, hubo abatimiento en aquel hogar, pues los niños eran incapaces de darse cuenta de lo que había pasado, y Manuela, la viuda casi sin saberlo, concentrada su vida y su ánimo todos en luchar, al modo de una planta, por la otra vida que llevaba en su seno y aun repitiendo, como un gemido de res herida, que se quería morir. Gertrudis proveía a todo.

Cerró los ojos al muerto, no sin dicerse: «¿Me estará mirando todavía?...» Le amortajó como lo había hecho con su tío, cubriéndole con un hábito sobre la ropa con que murió, y sin quitarle ésta, y luego, quebrantada por un largo cansancio, por fatiga de años, junto un momento su boca a la boca fría de Ramiro, y repasó sus vidas, que era su vida. Cuando el llanto de uno de los niños, del pequeñito, del hijo de la hospiciana, le hizo desprenderse del muerto e ir a coger y acallar y mimar al que vivía.

Manuela iba hundiéndose.

—Yo, señora, me muero; no voy a poder resistir esta vez; este parto me cuesta la vida.

Y así fue. Dio a luz una niña, pero se iba en sangre. La niña misma nació envuelta en sangre. Y Gertrudis tuvo que vencer la repugnancia que la sangre, sobre todo la negra y cuajada, le producía: siempre le costó una terrible brega consigo misma al vencer este asco. Cuando una vez, poco antes de morir, su hermana Rosa tuvo un vómito,

Gertrudis huyó de ella despavorida. Y no era miedo, no; era, sobre todo, asco.

Murió Manuela, clavados en los ojos de Gertrudis sus ojos, donde vagaban figuras de niebla sobre las sombras del Hospicio.

—Por tus hijos no pases cuidado —le había dicho Gertrudis—, que yo he de vivir hasta dejarlos colocados y que se puedan valer por sí en el mundo, y si no les dejaré sus hermanos. Cuidaré sobre todo de esta última, ¡pobrecilla!, la que te cuesta la vida. Yo seré su madre y su padre.

—¡Gracias! ¡Gracias! ¡Gracias! ¡Dios se lo pagará! ¡Es una santa!

Y quiso besarle la mano, pero Gertrudis se inclinó a ella, la besó en la frente y le puso su mejilla a que se la besase. Y esas expresiones de gratitud repetíalas la hospiciana como quien recita una lección aprendida desde niña. Y murió como había vivido, como una res sumisa y paciente, más bien como un enser.

Y fue esta muerte, tan natural, la que más ahondó en el ánimo de Gertrudis, que había asistido a otras tres ya. En ésta creyó sentir mejor el sentido del enigma. Ni la de su tío, ni la de su hermana, ni la de Ramiro horadaron tan dondo el agujero que se iba abriendo en el centro de su alma. Era como si esta muerte confirmara las otras tres, como si las iluminara a la vez.

En sus solitarias cavilaciones se decía: «Los otros se murieron; ¡a ésta la han matado…!, ¡la han matado…!, ¡la hemos matado! ¿No la he matado yo más que nadie? ¿No la he traído yo a este trance? Pero ¿es que la pobre ha vivido? ¿Es que pudo vivir? ¿Es que nació, acaso? Si fue expósita, ¿no ha sido *exposición* su muerte? ¿No lo fue su casamiento? ¿No la hemos echado en el torno de la eternidad para que entre el hospicio de la Gloria? ¿No será allí hospiciana también?» Y lo que más le acongojaba era el pensamiento tenaz que le perseguía de lo que sentiría Rosa al recibirla al lado suyo, al lado de Ramiro, y conocerla en el otro mundo. Su tío, el buen sacerdote que les crió, cumplió su misión en este mundo, protegió con su presencia la crianza de ellas; su hermana Rosa logró su deseo y gozó y dejó los hijos que había querido tener; Ramiro... ¿Ramiro? Sí, también Ramiro hizo su travesía, aunque a remo y de espaldas a la estrella que le marcaba rumbos, y sufrió, pero con noble sufrir, y pecó y purgó su pecado; pero, ¡y esta pobre que ni sufrió siquiera, que no pecó, sino que se pecó en ella, y murió huérfana!... «Huérfana también murió Eva...», pensaba Gertrudis. Y luego: «¡No; tuvo a Dios de padre! ¿Y madre? Eva no conoció madre... ¡Así se explica el pecado original!... ¡Eva murió huérfana de humanidad!» Y Eva le trajo el recuerdo del relato del Génesis, que había leído poco antes, y cómo el Señor alentó al hombre por la nariz soplo de vida, y se imaginó que se la quitase por manera análoga. Y luego se figuraba que a aquella pobre hospiciana, cuyo sentido de vida no comprendía, le quitó Dios la vida de un beso, posando sus infinitos labios invisibles, los que se cierran formando el cielo azul, sobre los labios, azulados por la muerte, de la pobre muchacha, y sorbiéndole el aliento así.

Y ahora quedábase Gertrudis con sus cinco crías, y bregando, para la última, con amas.

El mayor, Ramirín, era la viva imagen de su padre, en figura y gestos, y su tía proponíase combatir en él desde entonces, desde pequeño, aquellos rasgos e inclinaciones de aquél que, observando a éste, había visto que más le perjudicaban. «Tengo que estar alerta —se decía Gertrudis— para cuando en él se despierte el hombre, el macho más bien, y educarle a que haga su elección con reposo y tiento.» Lo malo era que su salud no fuese del todo buena y su desarrollo difícil y hasta doliente.

Y a todos había que sacarlos adelante en la vida y educarlos en el culto a sus padres perdidos.

¿Y los pobres niños de la hospiciana? «Esos también son míos —pensaba Gertrudis—; tan míos como los otros, como los de mi hermana, más míos aún. Porque éstos son hijos de mi pecado. ¿Del mío? ¿No más bien el de él? ¡No, de mi pecado! ¡Son los hijos de mi pecado! ¡Sí, de mi pecado! ¡Pobre chica!» Y le preocupaba sobre todo la pequeñita.

XVII

Gertrudis, molesta por las insinuaciones de don Juan, el médico, que menudeaba las visitas para los niños, y aun pretendió verla a ella como enferma, cuando no sabía que adoleciese de cosa alguna, le anunció un día hallarse dispuesta a cambiar de médico.

—¿Cómo así, Gertrudis?

—Pues muy claro; le observo singularidades que me hacen temer que está entrando en la cochera de una vejez prematura, y para médico necesitamos un hombre con el seso bien despejado y despierto.

—Muy bien; pues que ha llegado el momento, usted me permitirá que hable claro.

—Diga lo que quiera, don Juan, mas en la inteligencia de que es lo último que dirá en esta casa.

—¡Quién sabe!...

—Diga.

—Yo soy viudo y sin hijos, como usted sabe, Gertrudis. Y adoro a los niños.

—Pues vuélvase usted a casar.

—A eso voy.

—¡Ah! ¿Y busca usted consejo de mí?

—Busco más que consejo.

—¿Que le encuentre yo novia?

—Yo soy médico, le digo, y no sólo no tuve hijos de mi mujer, que era viuda, y perdimos el que ella me trajo al matrimonio —¡aún le lloro al pobrecillo!—, sino que sé, sé positivamente, sé con toda seguridad, que no he de tener nunca hijos propios, que no puedo tenerlos. Aunque no por eso, claro está, me sienta menos hombre que otro cualquiera; ¿usted me entiende, Gertrudis?

—Quisiera no entenderle a usted, don Juan.

—Para acabar, yo creo que a estos niños, a estos sobrinos de usted y a los otros dos acaso...

—Son tan sobrinos para mí como los otros, más bien hijos.

—Bueno, pues que a estos hijos de usted, ya que por tales los tiene, no les vendría mal un padre, y un padre no mal acomodado y hasta regularmente rico.

—¿Y eso es todo?

—Sí, que yo creo que hasta necesitan padre.

—Les basta, don Juan, con el Padre nuestro que está en los cielos.

—Y como madre usted, que es la representante de la Madre Santísima, ¿no es eso?

—Usted lo ha dicho, don Juan, y por última vez en esta casa.

—¿De modo que...?

—Que toda esa historia de la necesidad que siente de tener hijos y de su incapacidad para tenerlos..., ¿le he entendido bien, don Juan?

—Perfectamente; y esto último, por supuesto, quede entre los dos.

—No seré yo quien le estorbe otro matrimonio. Y esa historia, digo, no me ha convencido de que usted busque hijos que adoptar, que eso le será muy fácil y casándose, sino que me busca a mí y me buscaría aunque estuviese sola y hubiésemos de vivir solos y sin hijos; ¿le he entendido, don Juan? ¿Me entiende usted?

—Cierto es, Gertrudis, que si estuviese sola lo mismo me casaría con usted, si usted lo quisiera, ¡claro!, porque yo soy muy claro, muy claro, y es usted la que me atrae; pero en ese caso nos quedaba el adoptar hijos de

129

cualquier modo, aunque fuese sacándolos del Hospicio. Pues ya he podido ver que usted, como yo, se muere por los niños y que los necesita y los busca y los adora.

—Pero ni usted ni nadie ha visto, don Juan, que yo haya sido y sea incapaz de hacerlos; nadie puede decir que yo sea estéril, y no vuelva a poner los pies en esta casa.

—¿Por qué, Gertrudis?

—¡Por puerco!

Y así se despidieron para siempre.

Mas luego que le hubo así despachado entróle una desdeñosa lástima, un lastimero desdén por aquel hombre. «¿No le he tratado con demasiada dureza? —se decía—. El hombre me sacaba de quicio, es cierto; sus miradas me herían más que sus palabras, pero debí tratarle de otro modo. El pobrecillo parece que necesita remedio, pero no el que él busca, sino otro, un remedio heroico y radical.» Pero cuando supo que don Juan se remediaba, empezó a pensar si era en efecto calor de hogar lo que buscaba, aunque bien pronto dio en otra sospecha que le sublevó aún más al corazón. «¡Ah —se dijo—, lo que necesita es una ama de casa, una que le cuide, que le ponga sobre la cama la ropa limpia, que haga que se le prepare el puchero..., peor, peor que el remedio, peor aún! ¡Cuando una no es remedio es animal doméstico, y la mayor parte de las veces ambas cosas a la vez! ¡Estos hombres!... ¡O porquería o poltronería! ¡Y aún dicen que el cristianismo redimió nuestra suerte, la de las mujeres!» Y al pensar esto, acordándose de su buen tío, se santiguó diciéndose: «¡No, no lo volveré a pensar!...»

Pero ¿quién enfrenaba a un pensamiento que mordía en el fruto de la ciencia del mal? «¡El cristianismo, al fin, y a pesar de la Magdalena, es religión de hombres —se decía Gertrudis—; masculinos el Padre, el Hijo y el Espíritu Santo!...» Pero ¿y la Madre? La religión de la Madre está en: «He aquí la criada del Señor, hágase en mí según tu palabra» y en pedir a su Hijo que provea de vino a unas bodas, de vino que embriaga y alegra y hace olvidar penas, para que el Hijo le diga: «¿Qué tengo yo que ver contigo, mujer? Aún no ha venido mi hora.» ¿Qué tengo que ver contigo?... Y llamarle mujer y no madre... Y volvió a santiguarse, esta vez con verdadero temblor. Y es que el demonio de su guarda —así creía ella— le susurró: «¡Hombre al fin!»

XVIII

Corrieron unos años apacibles y serenos. La orfandad daba a aquel hogar, en el que de nada de bienestar se carecía, una íntima luz espiritual de serena calma. Apenas si había que pensar en el día de mañana. Y seguían en él viviendo, con más dulce imperio que cuando respirando llenaban con sus cuerpos sus sitios, los tres que le dieron a Gertrudis masa con qué fraguarlo, Ramiro y sus dos mujeres de carne y hueso. De continuo hablaba Gertrudis de ellos a sus hijos. «¡Mira que te está mirando tu madre!» o «¡Mira que te ve tu padre!» Eran sus dos más frecuentes amonestaciones. Y los retratos de los que se fueron presidían el hogar de los tres.

Los niños, sin embargo, íbanlos olvidando. Para ellos no existían sino en las palabras de mamá Tula, que así la llamaban todos. Los recuerdos directos del mayorcito, de Ramirín, se iban perdiendo y fundiendo en los recuerdos de lo que de ellos oía contar a su tía. Sus padres eran ya para él una creación de ésta.

Lo que más preocupaba a Gertrudis era evitar que entre ellos naciese la idea de una diferencia, de que había dos madres, de que no eran sino medio hermanos. Mas no podía evitarlo. Sufrió en un principio la tentación de decirle que las dos, Rosa y Manuela, eran como ella misma, madre de todos ellos, pero vio la imposibilidad de mantener mucho tiempo el equívoco; y, sobre todo, el amor a la verdad, un amor en ella desenfrenado, le hizo rechazar tal tentación al punto.

Porque su amor a la verdad confundíase en ella con su amor a la pureza. Repugnábanle esas historietas corrientes con que se trata de engañar la inocencia de los niños, como la de decirles que los traen a este mundo desde París, donde los compran. «¡Buena gana de gastar el dinero en tonto!», había dicho un niño que tenía varios hermanos y a quien le dijeron que a un amiguito suyo le iban a traer pronto un hermanito sus padres. «Buena gana de gastar mentiras en balde —se decía Gertrudis; añadiéndose—: Toda mentira es, cuando menos, en balde.»

—Me han dicho que soy hijo de una criada de mi padre; que mi mamá fue criada de la mamá de mis hermanos.

Así fue diciendo un día a casa el hijo de Manuela. Y la tía Tula, con su voz más seria y delante de todos, le contestó:

—Aquí todos sois hermanos, todos sois hijos de un mismo padre y de una misma madre, que soy yo.

—¿Pues no dices, mamita, que hemos tenido otra madre?

—La tuvisteis, pero ahora la madre soy yo; ya lo sabéis. ¡Y que no se vuelve a hablar de eso!

Mas no lograba evitar el que se transparentara que sentía preferencias. Y eran por el mayor, el primogénito, Ramirín, al que engendró su padre cuando aún tuviera reciente en el corazón el cardenal del golpe que le produjo el haber tenido que escoger entre las dos hermanas, o mejor el haber tenido que aceptar el mandato de Gertrudis a Rosa, y por la pequeñuela, por Manolita, pálido y frágil botoncito de rosa que hacía temer lo hiciese ajarse un frío o un ardor tempranos.

De Ramirín, el mayor, una voz muy queda, muy sumisa, pero de un susurro sibilante y diabólico, que Gertrudis solía oír que brotaba de un rincón de las entrañas de su espíritu —y al oírla se hacía, santiguándose, una cruz sobre la frente y otra sobre el pecho, ya que no pudiese taparse los oídos íntimos de aquélla y de éste—; de Ramirín decíale ese tentador susurro que acaso cuando le engendró su padre soñaba más en ella, en Gertrudis, que en Rosa. Y de Manolita, de la hija de la muerte de la hospiciana, se decía que sin su decisión de casar por segunda vez a Ramiro, sin aquel haberle obligado a redimir su pecado y rescatar a la víctima de él, a la pobre Manuela, no viviría el pálido y frágil botoncito.

¡Y lo que le costó criarla! Porque el primer hijo de Ramiro y Manuela fue criado por ésta, por su madre. La cual, sumisa siempre como una res, y ayudada a la vez por su natural instinto, no intentó siquiera rehusarlo a pesar de la endeblez de su carne, pero fue con el hombre, fue con el marido, con quien tuvo que bregar Gertrudis. Porque Ramiro, viendo la flaqueza de su pobre mujer, procuró buscar nodriza a su hijo. Y fue Gertrudis, la que le obligó a casarse con aquélla, quien se plantó en firme en que había de ser la madre misma quien criara al hijo. «No hay leche como la de la madre», repetía, y al redargüir su cuñado: «Sí, pero es tan débil que corren peligro ella y el niño, y éste se criará enclenque», replicaba implacable la soberana del hogar: «¡Pretextos y habladurías! Una mujer a la que se le puede alimentar, puede siempre criar y la naturaleza ayuda, y en cuanto al niño, te repito que la mejor leche es la de la madre, si no está envenenada.» Y luego, bajando la voz, agregaba: «Y no creo que le hayas envenenado la sangre a tu mujer.» Y Ramiro tenía que someterse. Y la querella terminó un día en que a nuevas instancias del hombre, que vio que su nueva mujer sufrió un vahído para que le deshijaran el hijo, la soberana del hogar, cogiéndole aparte, le dijo: «¡Pero qué empeño, hombre! Cualquiera creería que te estorba el hijo...»

—¿Cómo que me estorba el hijo...? No lo comprendo...

—¿No lo comprendes? ¡Pues yo sí!

—Como no te expliques...

—¿Que me explique? ¿Te acuerdas de lo de aquel bárbaro de Pascualón, el guarda de tu cortijo de Majadalaprieta?

—¿Qué? ¿Aquello que comentamos de la insensibilidad con que recibió la muerte de su hijo...?

—Sí.

—¿Y qué tiene que ver esto con aquello? ¡Por Dios, Tula!...

—Que a mí aquello me llegó al fondo del alma, me hirió profundamente y quise averiguar la raíz del mal...

—Tu manía de siempre...

—Sí; ya me decía el pobre tío que yo era como Eva, empeñada en conocer la ciencia del bien y del mal.

—¿Y averiguaste...?

—Que a aquel... hombre...

—¿Ibas a decir...?

—Que a aquel hombre, digo, le estorbaba el niño para más cómodamente disponer de su mujer. ¿Lo entiendes?

—¡Qué barbaridad!

Pero ya Ramiro tuvo que darse por vencido y dejó que su Manuela criase al niño mientras Gertrudis lo dispusiese así.

Y ahora se encontraba ésta con que tenía que criar a la pequeñuela, a la hija de la muerte, y que forzosamente había de dársela a una madre de alquiler, buscándole un pecho mercenario. Y esto le horrorizaba. Horrorizábale porque temía que cualquier nodriza, y más si era soltera, pudiese tener envenenada, con la sangre, la leche, y abusase de su posición. «Si es soltera —se decía—, ¡malo! Hay que vigilarla para que no vuelva al novio o acaso a otro cualquiera, y si es casada, malo también, y peor aún si dejó al hijo propio para criar el ajeno.» Porque esto era lo que sobre todo le repugnaba. Vender el jugo maternal de sus propias entrañas para mantener mal, para dejarlos morir acaso de hambre, a los propios hijos, era algo que le causaba dolorosos retortijones en las entrañas maternales. Y así es cómo se vio desde un principio en conflicto con las amas de cría de la pobre criatura, y teniendo que cambiar de ellas cada cuatro días. ¡No poder criarle ella misma! Hasta que tuvo que acudir a la lactancia artificial.

Pero el artificio se hizo en ella arte, y luego poesía, y por fin más profunda naturaleza que la del instinto ciego. Fue un culto, un sacrificio, casi un sacramento. El biberón, ese artificio industrial, llegó a ser para Gertrudis el símbolo y el instrumento de un rito religioso. Limpiaba los botellines, cocía los pisgos cada vez que los había empleado, preparaba y esterilizaba la leche con el ardor recatado y ansioso con que una sacerdotisa cumpliría su sacrificio ritual. Cuando ponía el pisgo de caucho en la boquita de la pobre criatura, sentía que le palpitaba y se le encendía la propia mama. La pobre criatura posaba alguna vez su manecita en la mano de Gertrudis que sostenía el frasco.

Se acostaba con la niña, a la que daba calor con su cuerpo, y contra éste guardaba el frasco de la leche por si de noche se despertaba aquélla pidiendo alimento. Y se le antojaba que el calor de su carne, enfebrecida a ratos por la fiebre de la maternidad virginal, de la virginidad maternal, daba a aquella leche industrial una virtud de vida materna y hasta que pasaba a ella, por misterioso modo, algo de los ensueños que habían florecido en aquella cama solitaria. Y al darle de mamar, en aquel artilugio, por la noche, a oscuras, y a solas las dos, poníale a la criaturita uno de sus pechos estériles, pero henchidos de sangre, al alcance de las manecitas para que siquiera las posase sobre él mientras chupaba el jugo de vida. Antojábasele que así una vaga y dulce ilusión animaría a la huérfana. Y era ella, Gertrudis, la que así soñaba. ¿Qué? Ni ella misma lo sabía bien.

Alguna vez la criatura se vomitó sobre aquella cama, limpia siempre hasta entonces como una patena, y de pronto sintió Gertrudis la punzada de la mancha. Su pasión morbosa por la pureza, de que procedía su culto místico a la limpieza, sufrió entonces, y tuvo que esforzarse para dominarse. Comprendía, sí, que no cabe vivir sin mancharse y que aquella mancha era inocentísima, pero los cimientos de su espíritu se conmovían dolorosamente con ello. Y luego le apretaba a la criaturita contra sus pechos pidiéndole perdón en silencio por aquella tentación de su pureza.

XIX

Fuera de este cuidado maternal por la pobre criaturita de la muerte de Manuela, cuidado que celaba una ex-
piación y un culto místicos, y sin desatender a los otros
y esforzándose por no mostrar preferencias a favor de
los de su sangre, Gertrudis se preocupaba muy en espe-
cial de Ramirín y seguía su educación paso a paso, vigi-
lando todo lo que en él pudiese recordar los rasgos de su
padre, a quien físicamente se parecía mucho. «Así sería
a su edad», pensaba la tía y hasta buscó y llegó a encontrar entre los papeles de su cuñado retratos de cuando
éste era un chicuelo, y los miraba y remiraba para descubrir en ellos al hijo. Porque quería hacer de éste lo
que de aquél habría hecho a haberle conocido y podido
tomar bajo su amparo y crianza cuando fue un mozuelo
a quien se le abrían los caminos de la vida. «Que no se
equivoque como él —se decía—, que aprenda a detenerse para elegir, que no encadene la voluntad antes de haberla asentado en su raíz viva, en el amor perfecto y bien
alumbrado, a la luz que le sea propia.» Porque ella creía
que no era al suelo, sino al cielo, a lo que había que
mirar antes de plantar un retoño; no al mantillo de la
tierra, sino a las razas de lumbre que del sol le llegaran,
y que crece mejor el arbolito que prende sobre una roca
al solano dulce del mediodía, que no el que sobre un
mantillo vicioso y graso se alza en la umbría. La luz era
la pureza.

Fue con Ramirín aprendiendo todo lo que él tenía que aprender, pues le tomaba a diario las lecciones. Y así satisfacía aquella ansia por saber que desde niña le había aquejado y que hizo que su tío le comparase alguna vez con Eva. Y de entre las cosas que aprendió con su sobrino y para enseñárselas, pocas le interesaron más que la geometría. ¡Nunca lo hubiese ella creído! Y es que en aquellas demostraciones de la geometría, ciencia árida y fría al sentir de los más, encontraba Gertrudis un no sabía qué de luminosidad y de pureza. Años después, ya mayor Ramirín, y cuando el polvo que fue la carne de su tía reposaba bajo tierra, sin luz de sol, recordaba el entusiasmo con que un día de radiante primavera le explicaba cómo no puede haber más que cinco y sólo cinco poliedros regulares; tres formados de triángulos: el tetraedro, de cuatro; el octaedro, de ocho, y el icosaedro, de veinte; uno de cuadrados: el cubo, de seis, y uno de pentágonos: el dodecaedro, de doce. «Pero ¿no ves qué claro?», me decía —contaba el sobrino—; «¿no lo ves?, sólo cinco y no más, ¡qué bonito! Y no puede ser de otro modo, tiene que ser así», y al decirlo me mostraba los cinco modelos en cartulina blanca, blanquísima, que ella misma había construido con sus santas manos, que eran prodigiosas para toda labor, y parecía como si acabase de descubrir por sí misma la ley de los cinco poliedros regulares..., ¡pobre tía Tula! Y recuerde que, como a uno de aquellos modelos geométricos le cayera una mancha de grasa, hizo otro, porque decía que con la mancha no se veía bien la demostración. Para ella la geometría era luz y pureza.

En cambio huyó de enseñarle anatomía y fisiología. «Ésas son porquerías —decía— y en que nada se sabe de cierto ni de claro.»

Y lo que sobre todo acechaba era el alborear de la pubertad de su sobrino. Quería guiarle en sus primeros descubrimientos sentimentales y que fuese su amor primero el último y el único. «Pero ¿es que hay un primer amor?», se preguntaba a sí misma sin acertar a responderse.

Lo que más temía era las soledades de su sobrino. La soledad, no siendo a toda luz, la temía. Para ella no había más soledad santa que la del sol y la de la Virgen de la Soledad cuando se quedó sin su Hijo el Sol del Espíritu. «Que no se encierre en su cuarto —pensaba—, que no esté nunca, a poder ser, solo; hay soledad que es la peor compañía; que no lea mucho, sobre todo, que no lea mucho; y que no esté mirando grabados.» No temía tanto para su sobrino, a lo vivo cuanto a lo muerto, a lo pintado. «La muerte viene por lo muerto», pensaba.

Confesábase Gertrudis con el confesor de Ramirín y era para, dirigiendo al director del muchacho en la dirección de éste, ser ella la que de veras le dirigiese. Y por eso en sus confesiones hablaba más que de sí misma de su hijo mayor, como le llamaba. «Pero es, señora, que usted viene aquí a confesar sus pecados y no los de otros», le tuvo que decir alguna vez el padre Álvarez, a lo que ella contestó: «Y si ese chico es mi pecado...»

Cuando una vez creyó observar en el muchacho inclinaciones ascéticas, acaso místicas, acudió alarmada al padre Álvarez.

—¡Eso no puede ser, padre!

—Y si Dios le llamase por ese camino...

—No, no le llama por ahí; lo sé, lo sé mejor que usted y desde luego mejor que él mismo; eso es... la sensualidad que se le despierta.

—Pero, señora...

—Sí, anda triste, y la tristeza no es señal de vocación religiosa. ¡Y remordimiento no puede ser! ¿De qué?...

—Los juicios de Dios, señora...

—Los juicios de Dios son claros. Y esto es oscuro. Quítele eso de la cabeza. ¡Él ha nacido para padre y yo para abuela!

—¡Ya salió aquello!

—¡Sí, ya salió aquello!

—¡Y cómo le pesa, a usted, eso! Líbrese de ese peso... Me ha dicho cien veces que había ahogado ese mal pensamiento.

—¡No puedo, padre, no puedo! Que ellos, que mis hijos —porque son mis hijos, mis verdaderos hijos—, que ellos no lo sepan; que no lo sepan, padre; que no lo adivinen...

—Cálmese, señora, por Dios; cálmese... y deseche esas aprensiones..., esas tentaciones del Demonio, se lo he dicho cien veces... Sea la que es..., la tía Tula que todos conocemos y veneramos y admiramos...; sí, ¡admiramos!...

—¡No, padre, no! ¡Usted lo sabe! Por dentro soy otra...

—Pero hay que ocultarlo...

—Sí, hay que ocultarlo, sí; pero hay días en que siento ganas de reunir a sus hijos, a mis hijos...

—¡Sí, suyos, de usted!

—¡Sí, yo madre, como usted... padre!

—Deje eso, señora; deje eso...

—Sí, reunirles y decirles que toda mi vida ha sido una mentira, una equivocación, un fracaso...

—Usted se calumnia, señora. Ésa no es usted, usted es la otra..., la que todos conocemos..., la tía Tula...

—Yo le hice desgraciado, padre; yo le hice caer dos veces; una con mi hermana, otra vez con otra...

—¿Caer?

—¡Caer, sí! ¡Y fue por soberbia!

—No; fue por amor, por verdadero amor...

—Por amor propio, padre —y estalló a llorar.

XX

Logró sacar a su sobrino de aquellas veleidades ascéticas y se puso a vigilarle, a espiar la aparición del primer amor.

—Fíjate bien, hijo —le decía—, y no te precipites, que una vez que hayas comprometido a una no debes dejarla...

—Pero, mamá, si no se trata de compromisos... Primero hay que probar...

—No, nada de pruebas, nada de noviazgos; nada de eso de «hablo con Fulana». Todo seriamente...

En rigor, la tía Tula había ya hecho, por su parte, su elección y se proponía ir llevando dulcemente a su Ramirín a aquella que le había escogido: a Caridad.

—Parece que te fijas en Carita —le dijo un día.

—¡Psé!

—Y ella en ti, si no me equivoco.

—Y tú en los dos, a lo que parece...

—¿Yo? Eso es cosa vuestra, hijo mío, cosa vuestra...

Pero les fue llevando el uno al otro, y consiguió su propósito. Y luego se propuso casarlos cuanto antes. «Y que venga acá —decía— y viviremos todos juntos, que hay sitio para todos... ¡Una hija más!»

Y cuando hubo llevado a Carita a su casa, como mujer de su sobrino, era con ésta con la que tenía sus confidencias. Y era de quien trataba de sonsacar lo íntimo de su sobrino.

La obligó, ya desde un principio, a que la tutease y le llamase madre. Y le recomendaba que cuidase sobre todo de la pequeñita, de la mansa, tranquila y medrosica Manolita.

—Mira, Caridad —le decía—, cuida sobre todo a esa pobrecita, que es lo más inocente y lo más quebradizo que hay y buena como el pan... Es mi obra...

—Pero si la pobrecita apenas levanta la voz..., si ni se le siente andar por la casa... Parece como que tuviera vergüenza hasta de presentarse...

—Sí, sí, es así... Harto he hecho por infundirle valor, pero en no estando arrimada a mí, cosida a mi falda, la pobrecita se encuentra como perdida. ¡Claro, como criada con biberón!

—El caso es que es laboriosa, obediente, servicial, pero ¡habla tan poco!... ¡Y luego no se la oye reír nunca!...

—Sólo alguna vez, cuando está a solas conmigo, porque entonces es otra cosa, es otra Manolita..., entonces resucita. Y trato de animarla, de consolarla, y me dice: «No te canses, mamita, que yo soy así..., y además, no estoy triste...»

—Pues lo parece...

—Lo parece, sí, pero he llegado a creer que no lo está, porque yo, yo misma, ¿qué te parezco, Carita, triste o alegre?

—Usted, tía...

—¿Qué es eso de usted y de tía?

—Bueno, tú, mamá, tú..., pues no sé si eres triste alegre, pero a mí me pareces alegre...

—¿Te parezco así? ¡Pues basta!

—Por lo menos a mí me alegras...

—Y es a lo que nos manda Dios a este mundo, a alegrar a los demás.

—Pero para alegrar a los demás hay que estar alegre una...

—O no...

—¿Cómo, no?

—Nada alegra más que un rayo de sol, sobre todo si da sobre la verdura del follaje de un árbol, y el rayo de sol no está alegre ni triste, y quién sabe... acaso su propio fuego le consume... El rayo de sol alegra porque está limpio; todo lo limpio alegra... Y esa pobre Manolita debe alegrarte, porque a limpia...

—¡Sí, eso sí! Y luego esos ojos que tiene, que parecen...

—Parecen dos estanques quietos entre verdura... Los he estado mirando muchas veces y desde cerca. Y no sé de dónde ha sacado esos ojos... No son de su madre, que tenía ojos de tísica, turbios de fiebre...; ni son los de su padre, que eran...

—¿Sabes de quién parecen esos ojos?

—¿De quién? —y Gertrudis temblaba al preguntarlo.

—¡Pues son tus ojos!...

—Puede ser..., puede ser... No me los he mirado nunca de cerca ni puedo vérmelos desde dentro, pero puede ser..., puede ser... Al menos le he enseñado a mirar...

XXI

¿Qué le pasaba a la pobre Gertrudis, que se sentía derretir por dentro? Sin duda había cumplido su misión en el mundo. Dejaba a su sobrino mayor, Ramiro, a su otro Ramiro, a cubierto de la peor tormenta, embarcando en su barca de por vida, y a los otros hijos al amparo de él; dejaba un hogar encendido y quien cuidase de su fuego. Y se sentía deshacer. Sufría frecuentes embaimientos, desmayos, y durante días enteros lo veía todo como en niebla, como si fuese bruma y humo todo. Y soñaba; soñaba como nunca había soñado. Soñaba lo que habría sido si Ramiro hubiese dejado por ella a Rosa. Y acababa diciéndose que no habrían sido de otro modo las cosas. Pero ella había pasado por el mundo fuera del mundo. El padre Álvarez creía que la pobre Gertrudis chocheaba antes de tiempo, que su robusta inteligencia flaqueaba y que flaqueaba al peso mismo de su robustez. Y tenía que defenderle de aquellas sus viejas tentaciones.

Cuando un día se le acercó Caridad y, al oído, le dijo: «¡Madre!...», al notarle el rubor que le encendía el rostro, exclamó: «¿Qué? ¿Ya?» «Sí, ya», susurró la muchacha. «¿Estás segura?» «¡Segura; si no, no te lo habría dicho!» Y Gertrudis, en medio de su goce, sintió como si una espada de hielo le atravesase por medio el corazón. Ya no tenía que hacer en el mundo más que esperar al nieto, al nieto de los suyos, de su Ramiro y su Rosa, a su nieto, e ir luego a darles la buena nueva. Ya apenas se cuidaba más que de Caridad, que era quien para ella llenaba la casa. Hasta de Manolita, de su obra, se iba descuidando, y la pobre niña lo sentía; sentía que el esperado iba relegándole en la sombra.

—Ven acá —le decía Gertudis a Caridad, cuando alguna vez se encontraban a solas, ocasión que acechaba—, ven acá, siéntate aquí, a mi lado... ¿Qué, le sientes, hija mía, le sientes?

—Algunas veces...

—¿No llama? ¿No tiene prisa por salir a luz, a la luz del sol? Porque ahí dentro, a oscuras..., aunque esté ello tan tibio, tan sosegado... ¿No da empujoncitos? Si tarda no me va a ver..., no le voy a ver... Es decir: ¡si tarda, no!; si me apresuro yo...

—Pero, madre, no digas esas cosas...

—¡*No digas,* hija! Pero me siento derretir..., ya no soy para nada... Veo todo como empañado..., como en sueños... Si no lo supiera, no podría ahora decir si tu pelo es rubio o moreno...

Y le acariciaba lentamente la espléndida cabellera rubia. Y como si viese con los dedos, añadía: «Rubia, rubia como el sol...»

—Si es chico, ya lo sabes, Ramiro, y si es chica.... Rosa...

—No, madre, sino Gertrudis... Tula, mamá Tula.

—¡Tula..., bueno!... Y mejor si fuese una pareja, mellizos, pero chico y chica...

—¡Por Dios, madre!

—¿Qué? ¿Crees que no podrías con eso? ¿Te parece demasiado trabajo?

—Yo... no sé..., no sé nada de eso, madre; pero...

—Sí; eso es lo perfecto, una parejita de gemelos..., un chico y una chica que han estado abrazaditos cuando no sabían nada del mundo, cuando no sabían ni que existían; que han estado abrazaditos al calorcito del vientre materno... Algo así debe ser el cielo...

—¡Qué cosas se te ocurren, mamá Tula!

—No ves que me he pasado la vida soñando...

Y en esto, mientras soñaba así y como para guardar en su pecho este último ensueño y llevarlo como viático al seno de la madre tierra, la pobre Manolita cayó gravemente enferma. «¡Ah, yo tengo la culpa —se dijo Gertrudis—; yo, que con esto de la parejita de mi ensueño me he descuidado de esa pobre avecilla!... Sin duda en un momento en que necesitaba de mi arrimo ha debido de coger algún frío...» Y sintió que le volvían las fuerzas, unas fuerzas como de milagro. Se le despejó la cabeza y se dispuso a cuidar a la enferma.

—Pero, madre —le decía Caridad—, déjeme que la cuide yo; que la cuidemos nosotras... Entre yo, Rosita y Elvira la cuidaremos.

—No; tú no puedes cuidarla como es debido, no debes cuidarla. Tú te debes al que llevas, a lo que llevas, y no es cosa de que por atender a ésta malogres lo otro... Y en cuanto a Rosita y Elvira, sí, son sus hermanas, la quieren como tales, pero no entienden de eso, y además la pobre, aunque se aviene a todo, no se halla sin mí... Un simple vaso de agua que yo le sirva le hace más provecho que todo lo que los demás le podáis hacer. Yo sola sé arreglarle la almohada de modo que no le duela la cabeza y que no tenga luego pesadillas...

—Sí, es verdad...

—¡Claro, yo la crié!... Y yo debo cuidarla.

Resucitó. Volvióle todo el luminoso y fuerte aplomo de sus días más heroicos. Ya no le temblaba el pulso, ni le vacilaban las piernas. Y cuando teniendo el vaso con la pócima medicinal que a las veces tenía que darle, la pobre enferma le posaba las manos febriles en sus manos firmes y finas, pasaba sobre su enlace como el resplandor de un dulce recuerdo, casi borrado para la encamada. Y luego se sentaba la tía Tula junto a la cama de la enferma y se estaba allí, y ésta no hacía sino mirarle en silencio.

—¿Me moriré, mamita? —preguntaba la niña.

—¿Morirte? ¡No, pobrecita alondra, no! Tú tienes que vivir...

—Mientras tú vivas...

—Y después..., y después...

—Después... no..., ¿para qué?...

—Pero las muchachas deben vivir...

—¿Para qué?...

—Pues... para vivir..., para casarse..., para criar familia...

—Pues tú no te casaste, mamita...

—No, yo no me casé; pero como si me hubiese casado... Y tú tienes que vivir para cuidar de tu hermano...

—Es verdad..., de mi hermano..., de mis hermanos.

—Sí, de todos ellos...

—Pero si dicen, mamita, que yo no sirvo para nada.

—¿Y quién dice eso, hija mía?

—No, no lo dicen..., no lo dicen..., pero lo piensan...

—¿Y cómo sabes tú que lo piensan?

—¡Pues... porque lo sé! Y además porque es verdad..., porque yo no sirvo para nada, y después de que tú te mueras yo nada tengo que hacer aquí... Si tú te murieras me moriría de frío...

—Vamos, vamos, arrópate bien y no digas esas cosas... Y voy a arreglarte esa medicina...

Y se fue a ocultar sus lágrimas y a echarse a los pies de su imagen de la Virgen de la Soledad y a suplicarle: «¡Mi vida por la suya, Madre, mi vida por la suya! Siente que yo me voy, que me llaman mis muertos, y quiere irse conmigo; quiere arrimarse a mí, arropada por la tierra, allí abajo, donde no llega la luz, y que yo le preste no sé qué calor... ¡Mi vida por la suya, Madre, mi vida por la suya! Que no caiga tan pronto esa cortina de tierra de las tinieblas sobre esos ojos en que la luz no se quiebra, sobre esos ojos que dicen que son los míos, sobre esos ojos sin mancha que le di yo..., sí, yo... Que no se muera..., que no se muera... ¡Sálvala, Madre, aunque tenga que irme sin ver al que ha de venir!...»

Y se cumplió su ruego.

La pobre niña fue recobrando vida; volvieron los colores de rosa a sus mejillas; volvió a mirar la luz del sol dando en el verdor de los árboles del jardincito de la casa, pero la tía Tula cayó con una bronconeumonía cogida durante la convalecencia de Manolita. Y entonces fue ésta la que sintió que brotaba en sus entrañas un manadero de salud, pues tenía que cuidar a la que le había dado vida.

Toda la casa vio con asombro la revelación de aquella niña.

—Di a Manolita —decía Gertrudis a Caridad— que no se afane tanto, que aún estará débil... Tú tampoco, por supuesto; tú te debes a los tuyos, ya lo sabes... Con Rosita y Elvira basta... Además, como todo ha de ser inútil... Porque yo ya he cumplido...

—Pero, madre...

—Nada, lo dicho, y que esa palomita de Dios no se malgaste...

—Pero si se ha puesto tan fuerte... Jamás hubiese creído...

—Y ella que se quería morir y creía morirse... Y yo también lo temí. ¡Porque la pobre me parecía tan débil!... Claro, no conoció a su padre, que estaba ya herido de muerte cuando la engendró..., en cuanto a su pobre madre, yo creo que siempre vivió medio muerta... ¡Pero esa chica ha resucitado!

—¡Sí; al verte en peligro ha resucitado!

—¡Claro, es mi hija!

—¿Más?

—¡Sí, más! Te lo quiero declarar ahora que estoy en el zaguán de la eternidad; sí, más. ¡Ella y tú!

—¿Ella y yo?

—¡Sí, ella y tú! Y porque no tenéis mi sangre. Ella y tú. Ella tiene la sangre de Ramiro, no la mía, pero la he hecho yo, ¡es obra mía! Y a ti yo te casé con mi hijo.

—Lo sé...

—Sí; como le casé a su padre con su madre, con mi hermana, y luego le volví a casar con la madre de Manolita...

—Lo sé..., lo sé...

—Sé que lo sabes, pero no todo...

—No, todo no...

—Ni yo tampoco... O al menos no quiero saberlo. Quiero irme de este mundo sin saber muchas cosas... Porque hay cosas que el saberlas mancha... Eso es el pecado original, y la Santísima Virgen Madre nació sin mancha de pecado original...

—Pues yo he oído decir que lo sabía todo...

—No, no lo sabía todo; no conocía la ciencia del mal..., que es ciencia...

—Bueno, no hables tanto, madre, que te perjudica...

—Más me perjudica cavilar, y si me callo cavilo..., cavilo...

150

XXII

La tía Tula no podía ya más con su cuerpo. El alma le revoloteaba dentro de él, como un pájaro en una jaula que se desvencija, a la que deja con el dolor de quien le desollaran, pero ansiando volar por encima de las nubes. No llegaría a ver al nieto. ¿Lo sentía? «Allá arriba, estando con ellos —soñaba—, sabré cómo es, y si es niño o niña..., o los dos..., y lo sabré mejor que aquí, pues desde allí arriba se ve mejor y más limpio lo de aquí abajo.»

La última fiebre teníala postrada en cama. Apenas si distinguía a sus sobrinos más que por el paso, sobre todo a Caridad y a Manolita. El paso de aquélla, de Caridad, llegábale como el de una criatura cargada de fruto y hasta le parecía oler a sazón de madurez. Y el de Manolita era tan leve como el de un pajarito que no se sabe si corre o vuela a ras de tierra. «Cuando ella entra —se decía la tía—, siento rumor de alas caídas y quietas.»

Quiso despedirse primero de ésta, a solas, y aprovechó un momento en que vino a traerle la medicina. Sacó el brazo de la cama, lo largó como para bendecirla, y poniéndole la mano sobre la cabeza, que ella inclinó con los claros ojos empañados, le dijo:

—¿Qué, palomita sin hiel, quieres todavía morirte?... ¡La verdad!

—Si con ello consiguiera...

—Que yo no me muera, ¿eh? No, no debes querer morirte... Tienes a tu hermano, a tus hermanos... Estuviste cerca de ello, pero me parece que la prueba te curó de esas cosas... ¿No es así? Dímelo como en confesión, que voy a contárselo a los nuestros...

—Sí; ya no se me ocurren aquellas tonterías.

—¿Tonterías? No, no eran tonteras. ¡Ah!, y ahora que dices eso de tonterías, tráeme tu muñeca, porque la guardas, ¿no es así? Sí, sé que la guardas... Tráeme aquella muñeca, ¿sabes? Quiero despedirme de ella también y que se despida de mí... ¿Te acuerdas?

—Sí, madre, me acuerdo.

—¿De qué te acuerdas?

—De cuando se me cayó en aquel patín de la huerta y Elvira me llamaba tonta porque lloraba tanto y me decía que de nada sirve llorar...

—Eso..., eso..., ¿y qué más? ¿Te acuerdas de más?

—Sí, del cuento que nos contaste entonces...

—A ver, ¿qué cuento?

—De la niña que se le cayó la muñeca en un pozo seco adonde no podía bajar a sacarla, y se puso a llorar, a llorar, y lloró tanto que se llenó el pozo con sus lágrimas y salió flotando en ellas la muñeca...

—¿Y qué dijo Elvirita a eso? ¿Qué dijo? Que no me acuerdo...

—Sí, sí, se acuerda, madre...

—Bueno; ¿pues qué dijo?

—Dijo que la niña se quedaría seca y muerta de haber llorado tanto...

—¿Y yo qué dije?

—Por Dios, madre...

—Bueno, no lo digas, pero no llores así, palomita, no llores así..., que por mucho que llores no se llenará con tus lágrimas el pozo en que voy cayendo y no saldré flotando...

—Si pudiera ser...

—¡Ah, sí! Si pudiera ser, yo saldría a cogerte y llevarte conmigo... Pero hay que esperar la hora. Y cuida de tus hermanos. Te los entrego a ti, ¿sabes?, a ti. Haz que no se den cuenta de que me he muerto.

—Haré todo lo que pueda...

—Que no se enteren de que me he muerto... Y yo te ayudaré desde arriba.

—Te rezaré, madre...

—A la Virgen, hija, a la Virgen...

—Te rezaré, madre, todas las noches antes de acostarme...

—Bueno, no llores así...

—Pero si no lloro, ¿no ves que no lloro?

—Para lavar los ojos cuando has visto cosas feas, no está mal; pero tú no has visto cosas feas, no puedes verlas...

—Y si es caso, cerrando los ojos...

—No, no, así se ven las cosas más feas. Y pide por tu padre, por tu madre, por mí... No olvides a tu madre...

—Si no la olvido...

—Como no la conociste...

—¡Sí; la conozco!

—Pero a la otra, digo, a la que te trajo al mundo.

—¡Sí, gracias a ti la conozco: a aquélla!

—¡Pobrecilla! Ella no había conocido a la suya...

—¡Su madre fuiste tú, lo sé bien!

—Bueno; pero no llores...

—¡Si no lloro! —y se enjugaba los ojos con el dorso de la mano izquierda mientras con la otra, temblorosa, sostenía el vaso de la medicina.

—Bueno, y ahora trae a la muñeca, que quiero verla. ¡Ah! ¡Y allí, en un rincón de aquella arquita mía que tú sabes..., ahí está la llave..., sí, ésa, ésa! Allí donde nadie ha tocado más que yo, y tú alguna vez; allí junto a aquellos retratos, ¿sabes?, hay otra muñeca..., la mía..., la que yo tenía siendo niña..., mi primer cariño..., ¿el primero?..., ¡bueno! Tráemela también... Pero que no se entere ninguna de ésas, no digan que son tonterías nuestras, porque las tontas somos nosotras... Tráeme las dos muñecas, que me despida de ellas, y luego nos pondremos serias para despedirnos de los otros... Vete, que me viene un mal pensamiento —y se santiguó.

El mal pensamiento era que el susurro diabólico allá, en el fondo de las entrañas doloridas con el dolor de la partida, le decía: «¡Muñecos todos!»

XXIII

Luego llamó a todos, y Caridad entre ellos.

—Esto es, hijos míos, la última fiebre, el principio del fuego del Purgatorio...

—Pero qué cosas dices, mamá...

—Sí; el fuego del Purgatorio, porque en el Infierno no hay fuego..., el Infierno es de hielo y nada más que de hielo. Se me está quemando la carne... Y lo que siento es irme sin ver, sin conocer, al que ha de llegar..., o a la que ha de llegar..., o a los que han de llegar...

—Vamos, mamá...

—Bueno; tú, Cari, cállate, y no nos vengas ahora con vergüenza... Porque yo querría contarlo todo a los que me llaman... Vamos, no lloréis así... Allí están... los tres...

—Pero no digas esas cosas...

—¡Ah!, ¿queréis que os diga cosas de reír? Las tonterías ya nos las hemos dicho Manolita y yo, las dos tontas de la casa, y ahora hay que hacer esto como se hace en los libros...

—Bueno, ¡no hables tanto! El médico ha dicho que no se te deje hablar mucho.

—¿Ya estás ahí tú, Ramiro? ¡El hombre! ¿El médico, dices? ¿Y qué sabe el médico? No le hagáis caso... Y, además, es mejor vivir una hora hablando que dos días más en silencio. Ahora es cuando hay que hablar. Además, así me distraigo, y no pienso en mis cosas.

—Pues ya sabes que el padre Álvarez te ha dicho que pienses ahora en tus cosas...

—¡Ah!, ¿ya estás ahí tú, Elvira, la juiciosa? Conque el padre Álvarez, ¿eh?..., el del remedio... ¿Y qué sabe el padre Álvarez? ¡Otro médico! ¡Otro hombre! Además, yo no tengo cosas mías en qué pensar..., yo no tengo mis cosas... Mis cosas son las vuestras... y las de ellos..., las de los que me llaman... Yo no estoy ni viva ni muerta..., no he estado nunca ni viva ni muerta... ¿Qué? ¿Qué dices tú ahí, Enriquín? Que estoy delirando...

—No, no digo eso...

—Sí has dicho eso; te lo he oído bien..., se lo has dicho al oído a Rosita... No ves que siento hasta el roce en el aire de las alas quietas de Manolita. Pues si deliro..., ¿qué?

—Que debes descansar...

—Descansar..., descansar..., ¡tiempo me queda para descansar!

—Pero no te destapes así...

—Si es que me abraso... Y ya sabes, Caridad, Tula, Tula como yo..., y él, el otro Ramirito... Sí, son dos, él y ella, que estarán ahora abrazaditos al calorcito...

Callaron todos un momento. Y al oír la moribunda sollozos entrecortados y contenidos, añadió:

—Bueno, ¡hay que tener ánimo! Pensad bien, bien, muy bien, lo que hayáis de hacer, pensadlo muy bien..., que nunca tengáis que arrepentiros de haber hecho algo y menos de no haberlo hecho... Y si veis que el que queréis se ha caído en una laguna de fango y aunque sea en un pozo negro, en un albañal, echaos a salvarle, aun a riesgo de ahogaros, echaos a salvarle..., que no se ahogue él allí... o ahogaos juntos... en el albañal; servidle de remedio, sí, de remedio...; ¿que morís entre légamo y porquerías?, no importa... Y no podréis ir a salvar al compañero volando sobre el ras del albañal porque no tenemos alas, no, no tenemos alas..., o son alas de gallina, de no volar..., y hasta las alas se mancharían con el fango que salpica el que se ahoga en él... No, no tenemos alas, a lo más de gallina...; no somos ángeles..., lo seremos en la otra vida..., ¡donde no hay fango ni sangre! Fango hay en el Purgatorio, fango ardiente, que quema y limpia..., fango que limpia, sí... En el Purgatorio les queman a los que no quisieron lavarse con fango..., sí, con fango... Les queman con estiércol ardiente..., les lavan con porquería... Es lo último que os digo, no tengáis miedo a la podredumbre... Rogad por mí, y que la Virgen me perdone.

Le dio un desmayo. Al volver de él no coordinaba los pensamientos. Entró luego en una agonía dulce. Y se apagó como se apaga una tarde de otoño cuando las últimas razas del sol, filtradas por nubes sangrientas, se derriten en las aguas serenas de un remanso del río en que se reflejan los álamos —sanguíneo su follaje también— que velan a sus orillas.

XXIV

¿Murió la tía Tula? No, sino que empezó a vivir en la familia, e irradiando de ella, con una nueva vida más entrañada y más vivífica, con la vida eterna de la familiaridad inmortal. Ahora era ya para sus hijos, sus sobrinos, la Tía, no más que la Tía, ni *madre,* ya ni *mamá,* ni aun tía Tula, sino sólo la Tía. Fue este nombre de invocación, de verdadera invocación religiosa, como el canonizamiento doméstico de una santidad de hogar. La misma Manolita, su más hija y la más heredera de su espíritu, la depositaria de su tradición, no le llamaba sino la Tía.

Mantenía la unidad y la unión de la familia, y si al morir ella afloraron a la vista de todos, haciéndose patentes, divisiones intestinas antes ocultas, alianzas defensivas y ofensivas entre los hermanos, fue porque esas divisiones brotaban de la vida misma familiar que ella creó. Su espíritu provocó tales disensiones y bajo de ellas y sobre ellas la unidad fundamental y culminante de la familia. La tía Tula era el cimiento y la techumbre de aquel hogar.

Formáronse de éste dos grupos: de un lado, Rosita, la hija mayor de Rosa, aliada con Caridad, con su cuñada, y no con su hermano, no con Ramiro; de otro, Elvira, la segunda hija de Rosa, con Enrique, su hermanastro, el hijo de la hospiciana, y quedaban fuera Ramiro y Manolita. Ramiro vivía, o más bien se dejaba vivir, atento a su hijo y al porvenir que podrían depararle otros, y a sus negocios civiles, y Manolita, atenta a mantener el culto de la Tía y la tradición del hogar.

Manolita se preparaba a ser el posible lazo entre cuatro probables familias venideras. Desde la muerte de la Tía habíase revelado. Guardaba todo su saber, todo su espíritu; las mismas frases recortadas y aceradas, a las veces repetición de las que oyó a la otra; la misma doctrina, el mismo estilo y hasta el mismo gesto. «¡Otra tía!», exclamaban sus hermanos y no siempre llevándoselo a bien. Ella guardaba el archivo y el tesoro de la otra; ella tenía la llave de los cajoncitos secretos de la que se fue en carne y sangre; ella guardaba, con su muñeca de cuando niña, la muñeca de la niñez de la Tía, y algunas cartas, y el devocionario y el breviario de don Primitivo; ella era en la familia quien sabía los dichos y hechos de los antepasados dentro de la memoria; de don Primitivo, que nada era de su sangre; de la madre del primer Ramiro; de Rosa; de su propia madre Manuela, la hospiciana —de ésta no dichos ni hechos, sino silencios y pasiones—; ella era la historia doméstica; por ella se continuaba la eternidad espiritual de la familia. Ella heredó el alma de ésta, espiritualizada en la Tía.

¿Herencia? Se transmite por herencia en una colmena el espíritu de las abejas, la tradición abejil, el arte de la melificación y de la fábrica del panal, la *abejidad,* y no se transmite, sin embargo, por carne y por jugos de ella. La carnalidad se perpetúa por zánganos y por reinas, y ni los zánganos ni las reinas trabajaron nunca, no supieron ni fabricar panales, ni hacer miel, ni cuidar larvas, y no sabiéndolo, no pudieron transmitir ese saber, con su carne y sus jugos, a sus crías. La tradición del arte de las abejas, de la fábrica del panal y el laboreo de la miel y la cera, es, pues, colateral y no de transmisión de carne, sino de espíritu, y débese a las tías, a las abejas que ni fecundan huevecillos ni los ponen. Y todo esto lo sabía

159

Manolita, a quien se lo había enseñado la Tía, que desde muy joven paró su atención en la vida de las abejas y la estudió y meditó, y hasta soñó sobre ella. Y una de las frases de íntimo sentido, casi esotérico, que aprendió Manolita de la Tía y que de vez en cuando aplicaba a sus hermanos, cuando dejaban muy al desnudo su masculinidad de instintos, era decirles: «¡Cállate, zángano!» Y zángano tenía para ella, como lo había tenido para la Tía, un sentido de largas y profundas resonancias. Sentido que sus hermanos adivinaban.

La alianza entre Elvira, la hija del primer Ramiro que le costó la vida a Rosa, su primera mujer, y Enrique, el hijo del pecado de aquél y de la hospiciana, era muy estrecha. Queríanse los hermanastros más que cualesquiera otros de los cinco entre sí. Siempre andaban en cuchicheos y secreteos. Y esta a modo de conjura desasosegábale a Manolita. No que le doliera que su hermano uterino, el salido del mismo vientre de donde ella salió, tuviese más apego a hermana nacida de otra madre, no; sentía que a ella no había de apegársele ninguno de sus hermanos y complacíase en ello. Pero aquel afecto más que fraternal le era repulsivo.

—Ya estoy deseando —les dijo una vez— que uno de vosotros se enamore; que tú, Enrique, te eches novia, o que a ésta, a ti, Elvira, te pretenda alguno...

—¿Y para qué? —preguntó ésta.

—Para que dejéis de andar así, de bracete por la casa, y con cuentecitos al oído y carantoñas, arrumacos y lagoterías...

—Acaso entonces más... —dijo Enrique.

—¿Y cómo así?

—Porque ésta vendrá a contarme los secretos de su novio, ¿verdad, Elvira?, y yo le contaré, ¡claro está!, los de mi novia...

—Sí, sí... —exclamó Elvira a punto de palmotear.

160

—Y os reiréis uno y otro del novio y de la otra novia, ¿no es así?..., ¡qué bonito!

—Bueno, ¿y qué diría a esto la Tía? —preguntó Elvira mirando a Manolita a los ojos.

—Diría que no se debe jugar con las cosas santas y que sois unos chiquillos...

—Pues no repitas con la Tía —le arguyó Enrique— aquello del Evangelio de que hay que hacerse niño para entrar en el reino de los cielos...

—¡Niño, sí! ¡Chiquillo, no!

—¿Y en qué se le distingue al niño del chiquillo?...

—¿En qué? En la manera de jugar.

—¿Cómo juega el chiquillo?

—El chiquillo juega a persona mayor. Los niños no son como los mayores, ni hombres ni mujeres, sino que son como los ángeles. Recuerdo haberle oído decir a la Tía que había oído que hay lenguas en que el niño no es ni masculino ni femenino, sino neutro...

—Sí —añadió Enrique—, en alemán. Y la señorita es neutro...

—Pues esta señorita —dijo Manolita, intentando, sin conseguirlo, teñir de una sonrisa estas palabras— no es neutra...

—¡Claro que no soy neutra; pues no faltaba más!...

—Pero ¡bueno, nada de chiquilladas!

—Chiquilladas, no; niñerías, eso, ¿no es eso?

—¡Eso es!

—Bueno, ¿y en qué las conoceremos?

—Basta, que no quiero deciros más. ¿Para qué? Porque hay cosas que al tratar de decirlas se ponen más oscuras...

—Bien, bien, tiíta —exclamó Elvira abrazándola y dándole un beso—, no te enfades así...

—¿Verdad que no te enfadas, tiíta?...

—No; y menos porque me llames tiíta...

—Si lo hacía sin intención.

—Lo sé; pero eso es lo peligroso. Porque la intención viene después...

Enrique le hizo una carantoña a su hermana completa y cogiendo a la otra, a la hermanastra, por debajo de un brazo, se la llevó consigo.

Y Manolita, viéndoles alejarse, quedó diciéndose: «¿Chiquillos? ¡En efecto, chiquillos! Pero ¿he hecho bien en decirles lo que les he dicho? ¿He hecho bien, Tía? —e invocaba mentalmente a la Tía—. La intención viene después... ¿No soy yo la que con mis reconvenciones voy a darles una intención que les falta? Pero ¡no, no! ¡Que no jueguen así! ¡Porque están jugando!... ¡Y ojalá salga pronto el novio a ella y la novia a él!»

XXV

El otro grupo lo formaban en la familia, no Rosita y
Ramiro, sino la mujer de éste, Caridad, y aquella su
cuñada. Aunque en rigor era Rosita la que buscaba a
Caridad y le llevaba sus quejas, sus aprensiones, sus suspi-
cacias. Porque iba, por lo común, a quejarse. Creíase, o
al menos aparentaba creer, que era la desdeñada y la no
comprendida. Poníase triste y como preocupada en espera de que le preguntasen qué era lo que tenía, y como
nadie se lo preguntaba sufría con ello. Y menos que los
otros hermanos se lo preguntaba Manolita, que se decía:
«¡Si tiene algo de verdad y más que gana de mimo y de
que nos ocupemos especialmente de ella, ya reventará!»
Y la preocupada sufría con ello.

A su cuñada, a Caridad, le iba sobre todo con quejas
de su marido; complacíase en acusar a éste, a Ramiro, de
egoísta. Y la mujer le oía pacientemente y sin saber qué
decirle.

—Yo no sé, Manuela —le decía a ésta Caridad, su
cuñada—, qué hacer con Rosa... Siempre me está viniendo con quejas de Ramiro; que si es un orgulloso, que si
un egoísta, que si un distraído...

—¡Llévale la hebra y dile que sí!

—Pero ¿cómo? ¿Voy a darle alas?

—No, sino a cortárselas.

—Pues no lo entiendo. Y además, eso no es verdad;
¡Ramiro no es así!

—Lo sé, lo sé muy bien. Sé que Ramiro podrá tener como todo hombre sus defectos...

—Y como toda mujer.

—¡Claro, sí! Pero los de él son defectos de hombre...

—¡De zángano, vamos!

—Como quieras; los de Ramiro son defectos de hombre, o si quieres, pues que te empeñas, de zángano...

—¿Y los míos?

—¿Los tuyos, Caridad? Los tuyos ¡de reina!

—¡Muy bien! ¡Ni la Tía!...

—Pero los defectos de Ramiro no son los que Rosa dice. Ni es orgulloso, ni es egoísta, ni es distraído.

—Y entonces ¿por qué voy a llevarle la hebra, como dices?

—Porque eso será llevarle la contraria. Lo sé muy bien. Le conozco.

Cierta mañana, encontrándose las tres, Caridad, Manuela y Rosa, comenzó ésta el ataque.

Rosa.—¡Vaya unas horas de llegar anoche tu maridito!

Nunca hablando con su cuñada le llamaba a Ramiro «mi hermano», sino siempre: «tu marido».

Caridad.—¿Y qué mal hay en ello?

Manuela.—Y tú, Rosa, estabas a esas horas despierta...

Rosa.—Me despertó su llegada.

Manuela.—¿Sí, eh?

Caridad.—Pues a mí apenas si me despertó...

Rosa.—¡Vaya una calma!

Manuela.—Aquí Caridad duerme confiada, y hace bien.

Rosa.—¿Hace bien?... ¿Hace bien?... No lo comprendo.

Manuela.—Pues yo sí. Pero tú pareces que te complaces en eso, que es un juego muy peligroso y muy feo...

Caridad.—¡Por Dios, Manuela!

Rosa.—Déjala, déjala a la tía…

Manuela.—Con el acento que ahora le pones, la tía aquí eres ahora tú…

Rosa.—¿Yo? ¿Yo la tía?

Manuela.—Sí, tú, tú, Rosa. ¿A qué viene querer provocar celos en tu hermana?

Caridad.—Pero si Rosa no quiere hacerme celosa, Manuela…

Manuela.—Yo sé lo que me digo, Caridad.

Rosa.—Sí, aquí ella sabe lo que se dice…

Manuela.—Aquí sabemos todos lo que queremos decir, y yo sé, además, lo que me digo, ¿me entiendes, Rosa?

Rosa.—El estribillo de la Tía…

Manuela.—Sea. Y te digo que serías capaz de aceptar el peor novio que se te presente y casarte con él no más que para provocarle a que te diese celos, no a dárselos tú…

Rosa.—¿Casarme yo? ¿Yo casarme? ¿Yo novio? ¡Las ganas!…

Manuela.—Sí; ya sé que dices, aunque no sé si lo piensas, que no te has de casar, que tú no quieres novio… Ya sé que andas en si te vas o no a meter monja…

Caridad.—¿Y cómo lo has sabido, Manuela?

Manuela.—¡Ah!, ¿pero vosotras creéis que no me percato de vuestros secretos? Precisamente por ser secretos…

Rosa.—Bueno, si pensara yo en meterme monja, ¿qué? ¿Qué mal hay en ello? ¿Qué mal hay en servir a Dios?

Manuela.—En servir a Dios, no, no hay mal ninguno… Pero es que si tú entrases monja no sería por servir a Dios…

Rosa.—¿No? ¿Pues por qué?

Manuela.—Por no servir a los hombres… ni a las mujeres…

CARIDAD.—Pero por Dios, Manuela, qué cosas tienes...

ROSA.—Sí, ella tiene sus cosas y yo las mías... ¿Y quién te ha dicho, hermana, que desde el convento no se puede servir a los hombres?

MANUELA.—Sin duda, rezando por ellos...

ROSA.—¡Pues claro está! Pidiendo a Dios que les libre de tentaciones...

MANUELA.—Pero me parece que tú más que a rezar «no nos dejes caer en la tentación», vas a «no me dejes caer en la tentación...»

ROSA.—Sí, que voy a que no me tienten...

MANUELA.—¿Pues no has venido aquí a tentar a Caridad, tu hermana? ¿O es que crees que no era tentación eso? ¿No venías a hacerla caer en tentación?

CARIDAD.—No, Manuela, no venía a eso. Y, además, sabe que no soy celosa, que no lo seré, que no puedo serlo...

ROSA.—Déjala, déjala, Caridad; déjala a la abejita, que pique..., que pique...

MANUELA.—Duele, ¿eh? Pues hija, rascarse...

ROSA.—*Hija* ahora, ¿eh?

MANUELA.—Y siempre, hermana.

ROSA.—Y dime tú, hermanita, la abejita, ¿tú no has pensado nunca en meterte en un panal así, en una colmena?...

MANUELA.—Se puede hacer miel y cera en el mundo.

ROSA.—Y picar...

MANUELA.—¡Y picar, exacto!

ROSA.—Vamos, sí; que tú, como tía Tula, vas para tía...

MANUELA.—Yo no sé para lo que voy, pero si siguiera el ejemplo de la Tía, no habría de ir por mal camino. ¿O es que crees que marró ella el suyo? ¿Es que has olvidado sus enseñanzas? ¿Es que trató ella de encismar a los de casa? ¿Es que habría ella nunca denunciado un acto de sus hermanos?

Caridad.—Por Dios, Manuela. Por la memoria de tía Tula, cállate ya... y tú, Rosa, no llores así..., vamos, levanta esa frente..., no te tapes así esa cara con las manos..., no llores así, hija, no llores así...

Manuela le puso a su hermanastra la mano sobre el hombro y con una voz que parecía venir del otro mundo, del mundo eterno de la familia inmortal, le dijo:

—¡Perdóname, hermana, me he excedido!...; pero tu conducta me ha herido en lo vivo de la familia y he hecho lo que creo que habría hecho la Tía en este caso..., ¡perdónamelo!

Y Rosa, cayendo en sus brazos y ocultando su cabeza entre los pechos de su hermana, le dijo entre sollozos:

—¡Quien tiene que perdonarme eres tú, hermana, tú... Pero hermana... no, sino madre..., mi madre... ¡Tía! ¡Tía!

—¡Es la Tía, la tía Tula, la que tiene que perdonarnos y unirnos y guiarnos a todos! —concluyó Manuela.

167

BIBLIOGRAFIA SOBRE *LA TIA TULA*

Julián MARÍAS, *Miguel de Unamuno,* Madrid, Espasa-Calpe, 1943. En el capítulo V, «Los relatos de Unamuno», hay una sección titulada «La convivencia: *La tía Tula*», pp. 113-120.

Agustín ESCLASANS, *Miguel de Unamuno,* Buenos Aires, Editorial Juventud Argentina, 1947. El capítulo X, «La tía Tula», pp. 105-111.

José María VALVERDE, «Sobre la crisis del 'género' en nuestra literatura», en *Índice de Artes y Letras,* VIII, número 60, Madrid, febrero-marzo de 1953. (El artículo trata sobre *La tía Tula* y *Niebla.*)

Eugenio G. DE NORA, *La novela española contemporánea,* I, 2.ª ed., Madrid, Gredos, 1963. Sobre *La tía Tula,* pp. 35-38.

Luciano G. EGIDO, «Adaptación cinematográfica de *La tía Tula*», en *Ínsula,* núms. 216-217, noviembre-diciembre de 1964. Es una crítica de la película *La tía Tula,* de Miguel Picazo, pero se habla también de la novela misma.

Ricardo GULLÓN, *Autobiografías de Unamuno,* Madrid, Gredos 1969. Hay un capítulo sobre «La voluntad de dominio en 'la madre' unamuniana». Específicamente sobre *La tía Tula,* pp. 206-217. Es quizás el mejor estudio publicado sobre esta novela.

Hugo Lijerón Alberdi: *Unamuno y la novela existencialista,* La Paz (Bolivia), Los Amigos del Libro, 1970. Un capítulo sobre *La tía Tula,* pp. 155-171.

M. García Viñó, «Relectura de *La tía Tula*», Arbor, número 349, 1975, pp. 127-133.

Ricardo Díez, *El desarrollo estético de la novela de Unamuno,* Col. «Nova Scholar», Madrid, Ed. Playor, 1976. Capítulo VI, «*La tía Tula*», pp. 181-214.

D. G. Hannan, «Unamuno: *La tía Tula* como expresión novelesca del ensayo 'Sobre la soberbia'», *Romance Notes,* University of North Carolina, núm. 12, páginas 296-301.

En inglés

J. B. Trend, «Unamuno as novelist», en *The Nation and The Athaeneum,* Londres, 19-XI-1921.

David G. Turney, *Unamuno's Webs of Fatality,* Londres, Tamesis Books Ltd., 1974. Capítulo VI, «The Religion of Domesticity in *La tía Tula*», pp. 92-106.

Reed Anderson, *The novels of Miguel de Unamuno,* tesis doctoral presentada en la Universidad de Wisconsin, Madison, USA 1970. Parte IV: *Abel Sánchez* and *La tía Tula.* Sobre *La tía Tula,* pp. 269-308. Es un muy detenido estudio.

En alemán

«Unamunos *Tante Tula*», en *Vossische Zeitung, Literarische Umschau,* Berlín, 20-XI-1927.

Fritz Gottfurcht, «Miguel de Unamuno: *Tante Tula*», en *Die Literarische Welt,* Berlín, 16-XII-1927.

En francés

Reseña de *La Tante Tula,* en *Larousse Mensuel Illustré,* París, junio de 1937.

Hay traducción francesa de J. Bellon (*La tante Tula,* París, 1927); alemana, del Dr. Otto Buek (*Tante Tula,* Munich, 1928); italiana, de F. Rossini (*La zia Tula,* Roma, 1955); al sueco, por Reigin Fridholm, con una introducción de Jhon Landquist (*Moster Tula,* Estocolmo, 1927), y también al holandés, de 1926.

BIOGRAFIA DE UNAMUNO

1864   29 de septiembre. Nace en Bilbao Miguel de Unamuno, el primer varón y el tercero de los seis hijos que tuvo don Félix de Unamuno, comerciante, con su esposa Salomé de Jugo.

1870   Muere el padre. Miguel sigue viviendo en Bilbao con su madre y los tres hermanos que aún le quedan: Félix, un año menor que él, muerto en Bilbao en 1931; María Felisa, la mayor, nacida en 1861 y muerta en 1932, y Susana, nacida en 1866, que murió monja en 1934.

1878   Miguel, el congregante de San Luis Gonzaga, tiene una crisis de adolescencia. Lloraba «sin motivo», y quería ser santo. Comienza a escribir, «en estilo lacrimoso», romántico, sobre temas relacionados con el nacionalismo vascongado. Inicia sus relaciones con Concepción Lizárraga, que luego sería su esposa. Por esta misma época, según cuenta en sus *Recuerdos de niñez y mocedad,* aunque no precisa la fecha, un día, habiendo ido de excursión al pueblo de Ceberio, le dio «una congoja que no sabía de dónde arrancaba». Fue la primera vez que eso le ocurrió, dice, y es que el campo «en silencio me susuró al corazón el misterio de la vida».

1880   Ejerce el cargo de secretario de los Luises hasta el mes de abril. Recibe el título de bachiller. En septiembre va a Madrid para estudiar Filosofía y Letras. Madrid no le gusta. Se encuentra solo y triste, y añora mucho a su país. Publica su primer artículo, «La unión hace la fuerza», en *El noticiero bilbaino.*

1881   En Madrid, queriendo «racionalizar su fe», la fue perdiendo. Y un día de carnaval interrumpió su costumbre de ir a misa los domingos. Esto ocurrió «sin desgarramiento alguno sensible por el pronto». Estudia con avidez filosofía, Hegel sobre todo.

1884   Después de haber recibido, el año anterior, el Premio Extraordinario en los exámenes para la licenciatura, presenta su tesis doctoral, referente a los orígenes del pueblo vasco. Regresa a Bilbao y se dedica unos años al estudio y a la enseñanza en instituciones privadas. Al regresar a su ciudad natal sufre una crisis religiosa «de retroceso». Vuelve a asistir a misa, aunque «sin ser creyente oficial». Hace eso durante dos años, debido ello en gran parte, muy probablemente, a la influencia de su muy devota madre.

1891   Se casa con Concepción Lizárraga el 31 de enero. Gana en el mes de junio, por oposición, la cátedra de Lengua y Literatura griegas en la Universidad de Salamanca, de la que toma oficialmente posesión el 13 de julio. Por esta época, aunque se casó por la Iglesia, declara que no cree «en dogma religioso alguno», pero respeta el cristianismo, la religión en que fue educado. Se encuentra ya muy distante de ese romántico nacionalismo vasco que antes le había entusiasmado. Le preocupan ahora las cuestiones sociales y siente interés por el naciente movimiento socialista español.

1892   El 3 de agosto nace en Bilbao su primer hijo, Fernando. Los otros ocho hijos e hijas que tendrá luego nacen todos en Salamanca.

1894   Se afilia al partido socialista y comienza su colaboración en *La lucha de clases* de Bilbao. Colabora regularmente, con pocas interrupciones, hasta 1896. Tiene, sin embargo, desde 1895, discrepancias con algunos de sus correligionarios, que le acusan de místico e idealista, mientras él los considera «fanáticos necios de Marx».

1897   Publica su primer libro, la novela *Paz en la guerra*. En el mes de marzo sufre la gran crisis religiosa de su vida. Una noche, estando en la cama con su esposa, siente angustia de muerte, gran temor al anodadamiento. Su esposa le abraza, diciendo: «¡Hijo mío!» Un grito y un gesto que Unamuno no olvidará jamás. Sale de su casa y busca refugio, al parecer, en el convento de dominicos. Vuelve a su casa y durante unos meses cree haber conquistado, o estar conquistando, la fe de su infancia. Se entrega a las prácticas religiosas católicas más «rutinarias», y escribe en un *Diario* sobre sus sentimientos, esperanzas y temores. Pero hacia fines de ese mismo año de 1897 se convence de que no ha podido alcanzar la fe que tan ansiosamente buscaba. Tres años después declara esto en cartas, repetidamente, sin ninguna ambigüedad. Esa crisis provoca un gran cambio en cuanto al sentido de muchos de sus escritos. La mayor parte de ellos, a partir de 1897, hablan de angustia, necesidad de creer, dudas y conflictos religiosos. A pesar de su nueva preocupación con los problemas religiosos, en el mes de octubre declara sentirse «más socialista que antes». El socialismo sólo peca, según él, en aquello en que se inhibe: en ignorar «el problema de la muerte».

1898   Escribe sus *Meditaciones evangélicas,* que, en gran parte, como casi todos los escritos, ensayos y dramas de los años 1897-1900, son reflejo de la crisis que había sufrido. Mientras le duró la esperanza de recobrar la fe de su niñez, se había resistido a publicar, a dar a conocer «lo más íntimo, temeroso de que al publicarlo se «evaporase». Pero ahora ya no tiene ese freno, y quiere declarar en público, aunque aún veladamente, cuáles fueron sus experiencias y angustias. Se siente ese año «desorientado, pero cristiano». Un vago cristianismo, de carácter más protestante que católico. Le afecta la crisis nacional de 1898, pero menos que la suya personal. Su posición política es la de un pacifista y antimilitarista. En el verano publica el artículo «¡Muera don Quijote!». En noviembre publica otro, «La vida es sueño», lleno de pesimismo, de *abulia,* y con él abandona el ideal regeneracionista.

1899   Reanuda su colaboración en *La lucha de clases,* que continúa al año siguiente, aunque ya no es miembro del partido socialista; pero cada vez se siente más distante de las posiciones de la izquierda política.

1900   Es nombrado rector de la Universidad de Salamanca y toma posesión de su cargo el 30 de octubre. Publica su segundo libro, *Tres ensayos* («¡Adentro!», «La ideocracia», «La fe»). Escribe, en cartas privadas, que hay que protestantizar a España.

1902   Aparecen reunidos en un volumen los ensayos que constituyen *En torno al casticismo,* publicados anteriormente en *La España Moderna,* de 1895. Publica también su segunda novela, *Amor y pedagogía.* Se va apartando del «panteísmo alemán», por el cual a principios de año mostraba simpatía. En mayo escribe, en una carta, que está restableciendo en su conciencia «el Dios personal y evangélico». Muere su tercer hijo, Raimundo, el niño hidrocéfalo nacido en 1896. Nace María, última de sus tres hijas.

1905   Se encuentra por esta época más sereno, menos obsedido con las cuestiones religiosas, y muy contento con sus éxitos literarios. Aparece uno de sus más importantes libros: *Vida de don Quijote y Sancho*.

1907   Publica en Bilbao su primer libro de versos, *Poesías*, que tiene poco éxito, de lo cual él luego se lamenta. Sigue aún bajo los efectos de una nueva depresión, una ola de pesimismo, angustias y temores que se había iniciado ya en la primavera del año anterior.

1908   Muere su madre, doña Salomé de Jugo. Publica, revisados, sus *Recuerdos de niñez y mocedad*, escritos muchos años antes.

1910   Aparece la colección de escritos titulada *Mi religión y otros ensayos breves*. Nace Ramón, el último de sus hijos.

1911   Publica en Madrid *Soliloquios y conversaciones* y *Rosario de sonetos líricos*.

1913   Aparece su obra filosófica principal, *Del sentimiento trágico de la vida...*

1914   Aparece la original novela, que él llama «nivola», titulada *Niebla*. El 30 de agosto, sin dar explicaciones, el Gobierno le destituye de su puesto de rector. La causa fue, al parecer, su posición en favor de los aliados, que era también la de las izquierdas, contraria al neutralismo oficial y al germanismo del rey. Abandona la casa rectoral en que vivía desde 1900.

1917   Publica *Abel Sánchez. Una historia de pasión*. Siguen apareciendo sus *Ensayos* reunidos (siete volúmenes, 1916-1918, editados por la Residencia de Estudiantes). Interviene en un mitin político, organizado por las izquierdas, en favor de los aliados.

1920   Publica el largo poema, en el que trabajaba hacía años, *El Cristo de Velázquez*, y también *Tres novelas ejemplares y un prólogo*. Es procesado, y luego indultado, por un artículo en que atacaba al rey.

1921   Aparece *La tía Tula* (ed. Renacimiento, Madrid). Es nombrado decano, y rector «en funciones», de la Universidad de Salamanca.

1923   El 23 de diciembre aparece en la revista *Nosotros*, de Buenos Aires, una carta privada que Unamuno había enviado a un amigo, en la cual se critica a la dictadura de Primo de Rivera, instaurada en España el 12 de septiembre. En la carta se habla del «ganso real», promotor del golpe de Estado, y del «tenebroso Martínez Anido, el dueño de esta situación tiránica».

1924   El 20 de febrero, con una «nota oficiosa», el Gobierno destituye a Unamuno. Al día siguiente es detenido y trasladado en automóvil a Cádiz, y de ahí a la isla de Fuerteventura, adonde llega el 10 de marzo. Con la ayuda de un periodista francés se fuga en un pequeño barco el 9 de julio. Llega a Las Palmas el día 11. Se ha levando la orden de confinamiento y hubiera podido volver libremente a España pero, tras algunas dudas, decide embarcar el 21 de julio en el *Zeelandia* e ir a Francia. En agosto se encuentra ya en París.

1925   Publica en París *De Fuerteventura a París. Diario íntimo de confinamiento y destierro vertido en sonetos.* En París, al poco tiempo de estar allí, se siente solo, muy triste y enfermo. Se publica en francés *L'agonie du Christianisme,* escrita por encargo, y que tradujo J. Cassou. A fines del mes de agosto se traslada a Hendaya, donde permaneció hasta la caída de la Dictadura.

1926   Aparece en el *Mercure de France* el extraño escrito, en gran parte autobiográfico, *Comment on fait un roman (Cómo se hace una novela).* En él habla de su vieja preocupación, muy agudizada durante su estancia en París, de haber hecho «leyenda», una «novela» de su propia vida.

1927   Se publica en Buenos Aires (ed. Alba), *Cómo se hace una novela.* Se trata del texto en francés, retraducido ahora de nuevo al español por el propio Unamuno, con diversos añadidos intercalados y comentarios. Colabora en las «Hojas Libres», panfletos contra la Dictadura que se introducen clandestinamente en España.

1928   Aparece, también en Buenos Aires, el *Romancero del destierro,* con muchos poemas políticos, contra el rey y la Dictadura. Comienza a escribir el *Cancionero,* que seguirá luego escribiendo hasta pocos días antes de su muerte.

1930   Cae la dictadura de Primo de Rivera, y el 9 de febrero regresa a España. Su llegada a Madrid, el 1 de mayo, da lugar a manifestaciones, sobre todo de estudiantes, en la estación y en las calles. Al día siguiente habla en el Ateneo, y poco después en un mitin político.

1931   Se proclama la República el 14 de abril. Unamuno es elegido diputado en las Cortes Constituyentes. Renuncia a su cátedra de Griego en la Universidad de Salamanca para ocupar la de Lengua Castellana. Se publica en español *La agonía del cristianismo*. También publica en el mes de marzo, en una colección popular, la novelita *San Manuel Bueno, mártir*, escrita poco antes, que será pronto una de las más famosas suyas, y que es de las mejores. En ella quizá se refleja, aunque sea indirectamente, el arrepentimiento que Unamuno sintió, a poco de volver a España, de haber incitado a la rebeldía y haber tal vez inquietado a la gente sencilla con sus ataques a la fe rutinaria y adormecedora. También publica el drama *El otro*.

1933   Publica la editorial Calpe *San Manuel Bueno, mártir, y tres historias más*. En diversos artículos, aparecidos en el periódico *Ahora*, de Madrid, muestra una actitud conservadora, y desencanto con la República. Claramente dice estar arrepentido de sus anteriores incitaciones demagógicas al pueblo.

1934   Muere el 15 de mayo su esposa, Concha, «mi costumbre». Se publica *El hermano Juan o el mundo es teatro*.

1936   En el mes de febrero viaja a Inglaterra, donde da conferencias y recibe en la Universidad de Oxford el título honorario de doctor. De vuelta ya en Salamanca, escribe el 22 de abril a un amigo en Fuerteventura, refiriéndose a la situación política en España: «Veo esto muy mal», ya que el «sindicalismo, en el fondo anarquista», está aumentando, y «de otro lado crece el fascismo», y ambos se enfrentan con fiereza.

Poco después de haber ocurrido la sublevación militar, en una entrevista dada en Salamanca a una agencia informativa extranjera, Unamuno ataca al Gobierno de Madrid y se pone del lado de los rebeldes. El Gobierno de la República le destituye el 23 de agosto. Unamuno, mientras tanto, se va sintiendo cada vez más disgustado con la guerra y menos adicto a la rebelión militar. Le duelen los crímenes cometidos en ambos lados. Trata de ayudar a un pastor protestante, acusado de masón, que pronto sería fusilado. El 12 de octubre, en el Paraninfo de la Universidad de Salamanca, en un acto con motivo de la Fiesta de la Raza, sin poder callar más, habla de la «guerra incivil», y dice a los militares presentes que «Vencer no es convencer». El general Millán Astray lanza sus famosos gritos: «¡Muera la inteligencia! ¡Viva la muerte!» Unamuno se retira, entre gritos e insultos. Diez días después, Franco firma su cese como rector. Seguido por la policía, amenazado e insultado al presentarse en el casino, decide voluntariamente recluirse en su casa. Muere allí el 31 de diciembre, repentinamente, mientras está discutiendo con un falangista.

INDICE

ÍNDICE